Dirgelwch
Y Galon Ddu

Siân Lewis

GOMER

Argraffiad cyntaf – 2004

ISBN 1 84323 383 5

Dymuna'r cyhoeddwyr gydnabod cymorth
Adrannau Cyngor Llyfrau Cymru.

*Argraffwyd yng Nghymru gan
Wasg Gomer, Llandysul, Ceredigion*

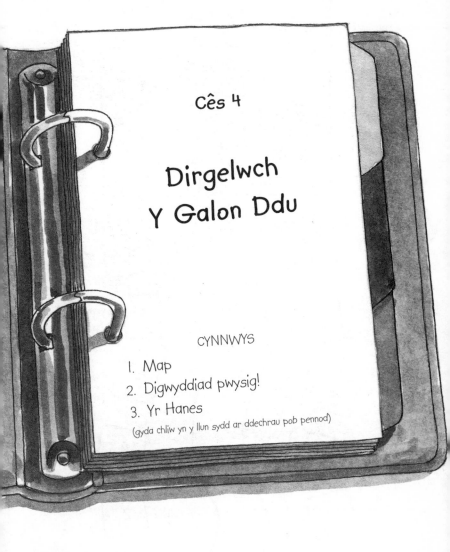

Cês 4

Dirgelwch
Y Galon Ddu

Tŷ Mawr a Stad Bryn-crin

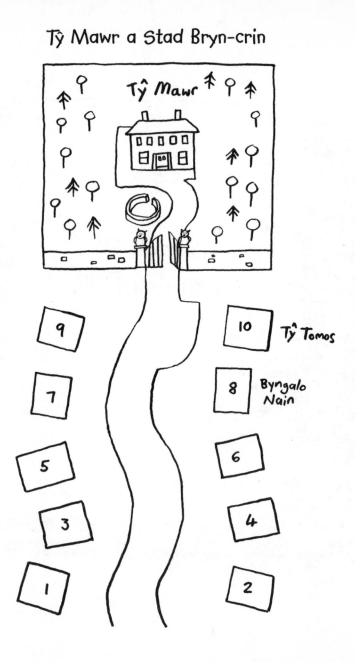

Digwyddiad Pwysig!

IYCH!

Bore dydd Sadwrn 14 Chwefror oedd hi ac roedd Tomos Aled Beynon a'i ffrind Locsyn, y ci, ar eu ffordd allan o'u cartref yn Rhif 10, Stad Bryn-crin.

Roedd y ddau'n teimlo'n hapus iawn.

Roedd Locsyn yn teimlo'n hapus am fod ei fol yn llawn o sosej mawr blasus. Roedd hi'n Ddydd Sant Ffolant ac roedd Nain yn gofalu rhoi sosej mawr siâp calon iddo ar y diwrnod hwnnw bob blwyddyn.

A pham oedd Tomos yn hapus?

Wel, yn gynta achos doedd e DDIM wedi cael calon.

IYCH! Roedd Tomos yn casáu Dydd Sant Ffolant a'i hen gardiau slwtshlyd. Llynedd roedd dwy o'r merched yn ei ddosbarth wedi gwthio cardiau i'w fag ysgol, ond eleni roedd hi'n ddydd Sadwrn a doedd y postmon ddim wedi dod â cherdyn iddo fe, diolch byth.

Yn ail, roedd Tomos yn hapus am fod un o'i

gymdogion – Mr Harris, Rhif 6 – wedi ffonio'r bore hwnnw a gofyn am help i ddatrys dirgelwch. Doedd dim yn well gan Tomos na datrys dirgelwch. Roedd ganddo fe a'i ffrindiau, Ab a Babs Cadabra, gwmni ditectif o'r enw TAB a'r Cadabras, ond roedd y ddau arall yn sâl, felly am unwaith dyma gyfle iddo fe a Locsyn ddatrys cês ar eu pennau eu hunain.

Oedd, roedd Tomos mor hapus â'r gog wrth gamu drwy ddrws Rhif 10, Stad Bryn-crin.

Ac yna fe stopiodd yn stond a'i lygaid bron â neidio o'i ben.

Roedd rhywbeth yn gorwedd ar y lawnt yn ymyl y gât.

'IYYYYYYYYYYCH! Cerdyn Ffolant!'

Pennod 1

'Hm!' snwffiodd Tomos. Doedd dim rhaid bod yn dditectif i weithio allan pwy oedd wedi gadael y cerdyn ar y lawnt.

Babs Cadabra!

Deuddeg oed oedd Babs, 'run fath â Tomos, ac roedd hi a'i brawd Ab yn byw yn Tŷ Mawr, y tŷ llwyd yn y coed yn ymyl Stad Bryn-crin. Roedd eu tad a'u mam – Morgan a Marged Cadabra – yn gonsurwyr enwog. Enwog iawn! Roedden nhw newydd fod yn perfformio yn yr Eidal ac ar ddiwedd y mis byddai ganddyn nhw eu sioe eu hunain ar S4C.

Cododd Tomos y cerdyn a chrychu'i drwyn. Am hen gerdyn tsiêp! Du oedd lliw'r galon ac nid coch. Doedd dim enw ar y cerdyn chwaith, dim ond rhyw sgwigls dwl mewn inc aur. Roedd gan Babs feiro ag inc aur ynddo. Dyna sut oedd Tomos yn gwybod mai hi adawodd y cerdyn. Roedd Babs bob amser yn cario'r beiro yn ei bym-bag.

'Hm!' Snwffiodd Tomos eto a stwffio'r cerdyn i'w boced. 'Fe gaiff hwn fynd i'r bin yn nes ymlaen,' meddai wrth Locsyn ac ymlaen â'r ddau i dŷ Mr Harris.

Roedd yr hen ŵr yn disgwyl amdanyn nhw yn ffenest ffrynt Rhif 6. Brysiodd allan ar unwaith a golwg ddireidus yn ei lygaid.

'Tomos!' sibrydodd gan afael yn llawes Tomos. 'Mae'r tylwyth teg wedi bod yn fy ngardd i!'

'Tylwyth teg?' holodd Tomos.

Winciodd Mr Harris a'i dynnu at y wal ffrynt. Roedd Mr Harris yn dwlu ar flodau, ac yn y cafn hir ar ben ei wal ffrynt roedd lili wen fach, crocws ac un genhinen Bedr fach, fach yn tyfu. Ond pwyntio at rywbeth streipiog yng nghanol y cafn wnaeth yr hen ŵr.

'Nid yn unig dwi wedi tyfu cennin Pedr,'

meddai Mr Harris, 'ond dwi hefyd wedi tyfu Pedr ei hun!'

'O!' Chwarddodd Tomos. Yn sefyll yn dalog yng nghanol cafn Mr Harris roedd dyn bach, bach mewn iwnifform ffansi.

'Wyt ti'n gwybod pwy sy piau hwn?' gofynnodd Mr Harris.

'Ydw,' meddai Tomos. 'Babs Cadabra. Daeth ei mam a'i thad â thair dol iddi o'r Eidal yr wythnos ddiwetha. Mae hon yn un ohonyn nhw. Mae hi wedi'i gwisgo fel un o'r milwyr sy'n gwarchod y Fatican yn Rhufain.'

'Wel,' meddai Mr Harris gan godi'r ddol a'i rhoi yn llaw Tomos, 'trueni iddi ei cholli. Gwell i ti ei rhoi'n ôl iddi, ontefe?'

'Ie,' meddai Tomos. Yna oedodd am foment a gofyn, 'Ife hwnna oedd eich dirgelwch chi, Mr Harris?'

'Ie,' chwarddodd Mr Harris. 'Ac rwyt ti wedi datrys y dirgelwch mewn chwinc fel arfer. Da iawn chi, Ditectif Tomos a Sarjant Locsyn.'

Gwenodd Tomos yn gwrtais ond, a dweud y gwir, roedd e'n teimlo'n siomedig. Yn siomedig iawn! Doedd hwnna'n fawr o ddirgelwch. Serch hynny, fe ddiolchodd yn gynnes i Mr Harris.

'Diolch yn fawr iawn am ffeindio'r ddol,' meddai. 'Mae Babs wedi dechrau casglu doliau a bydd hi'n falch iawn o gael hon yn ôl. Fe a' i'n syth i Dŷ Mawr.'

Doedd y ddol ddim mwy nag wyth centimetr o daldra. Dododd Tomos hi ym mhoced ei siaced a dyma fe a Locsyn yn troi ar eu hunion ac anelu am y gât fawr ym mhen pella Stad Bryn-crin.

Y noson cynt roedd Tomos wedi addo peidio â mynd i Dŷ Mawr am fod Ab a Babs yn dioddef o'r ffliw.

'Ond yn amlwg mae Babs wedi gwella erbyn hyn,' meddai Tomos wrth fynd drwy'r gât.

Gwenodd Locsyn ac ysgwyd ei gynffon.

Roedd y ddau ohonyn nhw'n falch fod Babs wedi gwella, achos roedd Marged Cadabra, mam Ab a Babs, yn swnio'n ofidus iawn pan ffoniodd hi Tomos y noson cynt. Roedd Mr a Mrs Cadabra newydd dreulio tri diwrnod yng Nghaerdydd yn recordio rhan o'u sioe fawr ar gyfer S4C. Gan ei bod hi'n wyliau hanner tymor, roedd Ab a Babs wedi mynd gyda nhw, a chyn gadael Caerdydd roedden nhw wedi ffonio Tomos i'w wahodd draw i gael gêm o snwcer.

'Fe ffoniwn ni ti ar ôl cyrraedd adre,' addawodd Ab.

'Welwn ni di bryd hynny, Tab Tec!' gwaeddodd Babs. (Roedd hi'n galw Tomos yn 'Tab' am mai T.A.B. oedd llythrennau cyntaf ei enw, a 'Tec' am ei fod e'n dditectif.)

Am saith o'r gloch roedd Tomos wedi clywed car y Cadabras yn hwtian wrth gyrraedd adre ac roedd e wedi disgwyl a disgwyl am alwad ffôn. Roedd e hefyd wedi rhuthro at y ffenest pan glywodd e gar Nina, nani Ab a Babs, yn gyrru allan drwy'r gât ychydig yn ddiweddarach, ond wnaeth y car ddim stopio.

Roedd Tomos bron â rhoi i fyny ac wedi dweud wrth Locsyn, 'Hm! Mae'r ddau 'na wedi anghofio amdana i,' pan ganodd y ffôn o'r diwedd.

Marged Cadabra oedd yno, wedi cynhyrfu'n lân.

'O, Tomos!' llefodd. 'Mae'n ddrwg gen i. Mae Ab a Babs wedi mynd yn syth i'w gwelyau. Maen nhw'n swp sâl yn y ffliw. Fe gân nhw dy ffonio di pan maen nhw'n teimlo'n well, ond cadwa di draw tan hynny, Tomos bach. Cofia rŵan. Cadwa draw!'

17

Wel, yn amlwg doedd y ffliw ddim cynddrwg ag oedd Marged Cadabra wedi'i ofni. Os oedd Babs yn ddigon da i grwydro o gwmpas Stad Bryn-crin, doedd dim rheswm iddo gadw draw oddi wrthi. A phan rowndiodd Tomos y tro a dod i olwg Tŷ Mawr, pwy welodd e'n sbecian rownd llenni ei stafell wely ond Ab. Diflannodd Ab yn sydyn, a phan agorwyd y drws ffrynt roedd Tomos yn disgwyl ei weld yn rhuthro allan.

Ond Marged Cadabra ddaeth i'r golwg, nid Ab.

'Tomos!' gwaeddodd a'i llais yn atsain ar draws y lawnt. 'Paid â dod gam yn nes. Dos adre, cariad. Dwi ddim eisiau i ti ddal y ffliw. Mae o'n ffliw mor gas, mae Ab a Babs yn teimlo'n rhy wan i godi'u pennau.'

'O!' Ciledrychodd Tomos ar ffenest Ab. Roedd y llenni wedi cau erbyn hyn. 'O!' meddai. 'Mae'n ddrwg 'da fi. Fe ffonia i nhw . . .'

'Na, na!' meddai Marged Cadabra gan estyn ei llaw i'w gadw draw. 'Mi gân nhw dy ffonio di mewn diwrnod neu ddau.' Gwenodd yn frysiog.

Wnaeth Tomos ddim gwenu. Roedd e'n hoffi Marged Cadabra. Roedd hi mor llon ac mor fywiog fel arfer – ac mor annwyl hefyd. Wythnos yn ôl roedd hi a'i gŵr wedi cyrraedd adre o'r

Eidal â llond eu breichiau o anrhegion i bawb, gan gynnwys Tomos, ei chwaer Mali, Mam, Dad, Nain a Locsyn.

Ond nawr roedd wyneb Marged Cadabra'n wyn fel y galchen ac roedd hi'n dweud celwydd. Doedd Ab DDIM yn rhy wan i godi'i ben. Roedd Tomos newydd ei weld e yn y ffenest. Ac roedd Babs wedi codi o'i gwely a dod â dol a cherdyn Ffolant ar Stad Bryn-crin.

Felly wnaeth Tomos ddim gwenu o gwbl, dim ond troi am adre a golwg ddwys iawn ar ei wyneb.

Roedd hwn yn ddirgelwch go iawn!

Pennod 2

'Wyt ti wedi bod draw yn Tŷ Mawr?' gofynnodd Mam pan gamodd Tomos i mewn i'r tŷ.

'Mmm.' Nodiodd Tomos.

'Ro'n i'n meddwl fod Marged wedi dweud wrthot ti am beidio â mynd yn agos.'

'Oedd, on'd ro'n i'n meddwl falle bod Ab a Babs wedi gwella,' meddai Tomos.

'O, dydyn nhw ddim yn debyg o wella o ffliw mewn un noson, cyw,' meddai Mam. 'Rho di ddiwrnod neu ddau iddyn nhw o leia.'

Nodiodd Tomos eto.

Gwenodd Mam yn garedig. 'Be sy'n bod?'

meddai. 'Mae golwg ddiflas arnat ti. Dim byd i'w wneud? Beth am helpu Mali . . .?'

'Na!' gwichiodd Tomos, ond roedd hi'n rhy hwyr.

'Ie, dere 'ma!' crawciodd Mali mewn llais fel brân. 'Dere 'ma NAWR!'

'Be?' Sbeciodd Tomos rownd drws y stafell fyw. 'Iyyyych!' Doedd dim rhyfedd fod ei dad wedi dianc drws nesa i helpu Nain i beintio'r gegin. Roedd y stafell fyw'n llawn o galonnau coch a Mali'n eistedd yn eu canol.

Roedd llais Mali'n swnio'n od am fod darn o ruban coch yn hongian o gornel ei cheg.

'Sgrifenna'r enwau 'na i lawr i fi,' crawciodd drwy'r gornel arall a phwyntio at ddwy dudalen o bapur sgrifennu ar y bwrdd coffi.

'Enwau?' Camodd Tomos yn ofalus dros y calonnau a syllu ar y dudalen dop. Arni roedd rhestr hir o enwau. Enwau Eidaleg oedden nhw i gyd: Allegra, Elena, Giovanna . . . 'Pam ydw i i fod sgrifennu enwau'r merched 'ma?' gofynnodd yn ddrwgdybus.

'Achos rwyt ti'n mynd i anfon cerdyn Ffolant i bob un ohonyn nhw!' meddai Mali gan dynnu'r ruban o'i cheg a giglan yn llon. Roedd Mali mewn hwyliau da iawn am fod y postmon wedi dod â DAU gerdyn Ffolant iddi hi. 'Na! Jôc! Mae enwau bechgyn ar y rhestr hefyd. Paratoi ar gyfer heno ydw i a dwi eisiau dy help di.'

Y noson honno roedd Dawns Ffolant arbennig i'w chynnal yn neuadd yr ysgol, dawns i groesawu grŵp o fyfyrwyr o'r Eidal i Benderi. Mrs Jenkins, yr athrawes fathemateg, oedd wedi trefnu'r ddawns. Roedd Mrs Jenkins ei hun yn Eidales. Roedd hi hefyd yn fam i Carlo, cariad Mali. Dyna pam oedd Mali wedi dod adre o'r coleg am y penwythnos.

'Be'n union wyt ti'n baratoi?' gofynnodd Tomos.

Gwenodd Mali wên fach bwysig.

'Coeden galonnau,' meddai. 'Ti'n gweld, mae Mrs Jenkins yn poeni y bydd y Cymry a'r Eidalwyr yn rhy swil i gymysgu â'i gilydd, felly neithiwr ar y ffordd adre yn y car, fe ges i'r syniad o wneud coeden.'

'Sut mae coeden yn mynd i helpu pobl i gymysgu?' gofynnodd Tomos mewn penbleth.

Winciodd Mali a gwenu'n bwysig eto.

'Wel,' meddai, 'nid coeden go iawn fydd hi, wrth gwrs. Mae Carlo wedi cael darn mawr o *polystyrene* gan Diana o'r Siop Flodau. Mae e wedi torri siâp coeden allan o'r *polystyrene* a rhoi bachau bach arni. Dw inne'n gwneud y calonnau fydd yn hongian ar y bachau. Edrych!' Cododd Mali galon a'i dangos iddo. Roedd y galon ar ffurf pwrs bach. 'Dwi am i ti sgrifennu'r enwau ar ddarnau bach o bapur a rhoi un ym mhob calon.'

Nodiodd Tomos. Roedd e'n dechrau deall.

'Pan fydd y Cymry'n cyrraedd y ddawns heno, bydd pob un ohonyn nhw'n cymryd calon oddi ar y goeden ac yn dawnsio gyda'r person sy â'i enw yn y galon,' ychwanegodd Mali. 'Wedyn, ar ôl tua chwarter awr, byddan nhw'n newid partner. Bydda i a Carlo wedi gofalu rhoi enwau eraill yn y calonnau erbyn hynny – enwau'r Cymry y tro hwn – a thro'r Eidalwyr fydd hi i ddewis calon. Syniad da?'

'Syniad ardderchog!' meddai Tomos, ond roedd e'n falch iawn nad oedd e'n mynd i'r Ddawns Ffolant. Iych! Roedd e'n casáu dawnsio. 'Ydy Mrs Jenkins yn gwybod am y syniad?'

'Wrth gwrs!' meddai Mali. 'Dwedodd Carlo wrthi bore 'ma ac mae hi'n *well impressed*!'

Gwenodd Tomos. Myfyriwr mewn coleg ffasiwn oedd Mali. Yno roedd hi'n dysgu sut i wneud dillad ac roedd hi wedi mynd ati o ddifri i wneud calonnau del IAWN – calonnau o sidan a felfed coch gyda gleiniau a *sequins* drostyn nhw i gyd. Roedd hi'n amlwg bod Mali'n gwneud ei gorau glas – wel, ei gorau coch beth bynnag – i drio plesio Mrs Jenkins. Doedd hi erioed wedi plesio Mrs Jenkins pan oedd hi yn yr ysgol, achos doedd hi'n dda i ddim am fathemateg. Ond nawr roedd hi am ddangos i fam Carlo ei bod hi'n glyfar wedi'r cyfan. Wel, pam lai? Roedd Mali *yn* glyfar. Roedd hi'n glyfar am wnïo. Felly fe helpodd Tomos ei chwaer i lenwi'r calonnau heb achwyn o gwbl. Sgrifennodd yr enwau ar ddarnau bach o papur, rholio pob darn a'i roi mewn calon. Wedyn fe roddodd e'r calonnau mewn dau bentwr – pentwr o enwau bechgyn a phentwr o enwau merched.

Ond er ei fod e'n brysur yn torri papur a sgrifennu a llenwi'r calonnau, roedd Tomos yn dal i wneud ei waith ditectif ac yn cadw llygad barcud ar lôn Tŷ Mawr. Roedd e'n dal i boeni am Marged Cadabra a'r CELWYDD.

Pam oedd hi wedi dweud fod Ab a Babs yn rhy wan i godi'u pennau?

Oedd hi'n dioddef o nerfau o achos y sioe fawr ar S4C?

Falle 'i bod hi'n ofni y byddai hi a Morgan yn dal annwyd cyn gorffen recordio'r sioe, felly roedd hi'n rhwystro Ab a Babs rhag mynd allan. Ond roedd yr ysgol yn ailddechrau ddydd Llun. Doedd bosib y byddai Ab a Babs yn gorfod colli'r ysgol?

Ta beth, wnaeth neb yrru lan na lawr lôn Tŷ Mawr yn ystod yr amser y bu Tomos yn gwylio – dim car doctor, dim un o geir y teulu, na char Nina'r nani. Fuodd Tŷ Mawr ddim mor dawel ers i'r Cadabras ddod i fyw yno.

Roedd hyd yn oed Mam wedi sylwi. Gwthiodd ei phen rownd y drws.

'Tybed a ddylwn i ffonio Tŷ Mawr?' meddai. 'Falle'u bod nhw i gyd yn sâl erbyn hyn.'

'Ie, ffoniwch!' meddai Tomos.

'Ond beth os ydyn nhw i gyd yn y gwely?'

'Doedd Marged ddim.'

Nodiodd Mam ac aeth at y ffôn. Roedd Tomos wedi gorffen sgrifennu'r enwau a dilynodd yn dynn wrth ei sodlau.

Gwyliodd ei fam yn deialu'r rhif a – bron cyn i'r ffôn ganu'n iawn – dyma lais Morgan Cadabra'n atsain i lawr y lein.

'Ie?' cyfarthodd.

'Morgan!' gwichiodd Mam yn syn.

'O, Luned!'

'Ffonio ydw i i weld sut ydych chi i gyd a gofyn a fedra i helpu mewn unrhyw ffordd?' meddai Mam.

'O na, na! Mae popeth yn iawn,' chwarddodd Morgan Cadabra, ond roedd ei chwerthin fel crawcian brân.

Roedd Morgan Cadabra'n dweud celwydd hefyd. Doedd popeth DDIM yn iawn. Roedd Tomos yn siŵr o hynny. Wrth i Mam roi'r ffôn i lawr rhedodd Tomos lan i'w stafell wely gyda Locsyn yn ei ddilyn. Pwysodd ei drwyn ar y ffenest a syllu lan y lôn.

Beth oedd o'i le yn Tŷ Mawr?

A beth ddylai ditectif wneud i helpu?

Cyn i Tomos fedru penderfynu, canodd ei ffôn. Cipiodd Tomos y ffôn o'i boced a gwasgu OK, ond cyn iddo gael cyfle i ddweud 'Helô', dyma lais Ab yn sibrwd yn wyllt yn ei glust.

'Tomos! Wyt ti ar dy ben dy hun?'

'Ydw!'

'Mae Babs wedi cael ei chipio gan giang Y Galon Ddu a . . .'

Clywodd Tomos wich a distewodd y ffôn.

Pennod 3

'Mae Babs wedi cael ei chipio gan giang Y Galon Ddu!' sibrydodd Tomos a'i lygaid yn fawr fel soseri.

'Iiich!' meddai Locsyn mewn braw. Doedd Locsyn erioed wedi clywed am Y Galon Ddu, ond roedd e'n gallu clywed calon Tomos yn gwneud sŵn mawr, mawr.

BWM-BWM-BWM-BWM!

Babs wedi cael ei chipio! Am newyddion erchyll . . . os oedd Ab yn dweud y gwir.

Oedd e?

Meddyliodd Tomos yn ddwys ac yna cliciodd ei fysedd.

'Oedd!' meddai. 'Dwi bron yn siŵr bod Ab yn dweud y gwir – a hynny am bedwar rheswm.'

Cliciodd Tomos ei fysedd eto a rhestru'r rhesymau i Locsyn.

'Un. Roedd Morgan a Marged wedi dychryn.

Dau. Roedden nhw'n dweud celwydd.

Tri. Roedden nhw'n esgus bod Ab yn sâl er mwyn ei gadw'n ddiogel yn y tŷ.

Pedwar . . .'

Yn sydyn – ac er braw i Locsyn – neidiodd Tomos ar draws y stafell a phlycio'i siaced ledr o'r wardrob. O'r boced tynnodd y pedwerydd rheswm a'i ddangos i Locsyn.

Ysgydwodd Locsyn ei gynffon yn araf, araf. Yn llaw Tomos roedd y cerdyn â'r galon ddu arno.

'Y Galon Ddu!' sibrydodd Tomos. 'Nid cerdyn Ffolant yw hwn, Locsyn! Neges o ryw fath yw e. Neges oddi wrth Babs pan oedd hi'n cael ei chipio!' Syllodd Tomos ar y marciau mewn beiro aur. Trodd y cerdyn â'i ben i lawr a syllu eto, ond doedd y marciau'n gwneud dim synnwyr. Doedd Babs druan ddim wedi cael cyfle i orffen ei neges, mae'n rhaid.

'Rrrrr!' meddai Locsyn gan roi ei ddwy bawen flaen ar sil y ffenest a syllu'n gyffrous i gyfeiriad Tŷ Mawr.

'Rhaid i ni fynd i ddangos y cerdyn i Morgan a Marged. Falle byddan nhw'n deall y neges!' meddai Tomos. 'Dere, Locs!'

Gwisgodd Tomos ei siaced ar ras; gwibiodd y ddau allan o'r tŷ a rhedeg lan lôn Tŷ Mawr. Wrth iddyn nhw rowndio'r tro a dod i olwg y tŷ, taflwyd y drws ffrynt ar agor a sgrechiodd Marged Cadabra'n wyllt, 'Tomos! Dwi wedi dweud wrthot ti. Dos yn dy ôl, Tomos!'

'Tomos!' Morgan Cadabra oedd yn rhuo nawr. Rhuthrodd dros garreg y drws ac anelu am Tomos gan fwriadu ei sgubo'n ôl i gyfeiriad Stad Bryn-crin. Ond trawodd y ddau yn erbyn ei gilydd a neidiodd y cerdyn â'r galon ddu arno o law Tomos.

'Ble cest ti hwn?' llefodd Morgan Cadabra gan godi'r cerdyn o'r llawr.

'Ar lawnt tŷ ni!' gwichiodd Tomos. 'Ro'n i'n meddwl falle bydde fe o help i chi.'

'Help?' Gafaelodd Morgan yn ysgwyddau Tomos a syllu i fyw ei lygaid. 'Pwy ddwedodd wrthot ti am Y Galon Ddu?'

Ddwedodd Tomos ddim gair, ond gwibiodd ei lygaid i gyfeiriad Ab a oedd erbyn hyn yn sefyll yn y drws yn ymyl ei fam.

Trodd Morgan hefyd i edrych ar ei fab.

'Ti!' rhuodd.

'Ie,' mwmianodd Ab, 'ond . . .'

'Dwedodd e, "Mae Babs wedi cael ei chipio gan giang Y Galon Ddu" – dyna i gyd,' meddai Tomos yn frysiog. 'Dyna pam dois i â'r cerdyn. Mae Babs wedi trio sgrifennu neges.'

'Be?' Syllodd Morgan ar y sgwigls â golwg wyllt ar ei wyneb, yna fe gydiodd ym mraich Tomos a'i wthio'n ddiseremoni i mewn i'r tŷ.

Chwyrnodd Locsyn a dilyn fel cysgod. Chwyrnodd eto wrth weld dyn ifanc yn dod i'r golwg yn nrws y stafell fyw.

'Ditectif Sarjant Bob Elis yw hwn,' sibrydodd Marged Cadabra, gan gau'r drws ffrynt ar frys a'i folltio'n dynn. 'Bob! Edrych be ffeindiodd Tomos!'

'Cerdyn arall!' Cipiodd y sarjant y cerdyn o law Morgan.

'M . . . mae Babs wedi trio sgrifennu neges arno gyda'i beiro lliw aur,' meddai Morgan yn grynedig. 'Ond fedra i ddim deall . . .'

'Ble cest ti hwn?' cyfarthodd y sarjant gan hoelio'i lygaid ar Tomos.

'Ar lawnt tŷ ni, y tŷ cyntaf ar y chwith wrth i

chi yrru allan drwy gât Tŷ Mawr,' meddai Tomos, gan egluro'r amgylchiadau'n glir ac yn gryno.

'Felly fe ffeindiaist ti'r cerdyn ar y lawnt am hanner awr wedi naw bore 'ma,' meddai'r sarjant ar ôl i Tomos orffen. 'Roedd e wedi bod yno drwy'r nos, mae'n rhaid. Fuest ti allan o'r tŷ neithiwr?'

'Naddo,' meddai Tomos. 'Wel, dim ond pan ddaeth Mali, fy chwaer, adre. Es i i'w helpu hi i gario'i bagiau allan o gar Carlo.'

'Carlo?' Ciledrychodd y sarjant ar Morgan a Marged.

'Carlo yw mab Mrs Jenkins sy'n dysgu mathemateg yn yr Ysgol Uwchradd,' meddai Ab mewn llais bach gan lapio'i fraich am fraich Tomos.

Aeth pobman yn dawel.

Yna: 'Shtish!'

Neidiodd pawb a syllu ar y llawr. Roedd Locsyn yn gorwedd wrth draed Bob Elis.

'Shtish!' tisianodd Locsyn eto, yn llawn embaras, yna dododd ei bawen dros ei drwyn.

Fel arfer byddai pawb yn chwerthin wrth weld campau Locsyn, ond doedd neb yn Tŷ Mawr yn teimlo awydd chwerthin y diwrnod hwnnw. Ochneidiodd Marged Cadabra'n ddwfn. Roedd cylchoedd mawr du o amgylch ei llygaid hi ac am lygaid ei gŵr. Yn amlwg doedden nhw ddim wedi cysgu winc drwy'r nos.

'Man a man i ni ddweud wrthot ti be sy wedi digwydd, Tomos,' meddai Marged. 'Ond, er mwyn diogelwch Babs, rhaid i ti addo peidio â dweud gair wrth NEB – neb o gwbl! Wyt ti'n addo?'

'Ydw,' meddai Tomos. 'Wir i chi!'

'Cyrhaeddon ni adre o Gaerdydd tua hanner awr wedi saith neithiwr,' meddai Marged mewn llais bach, main. 'Roedden ni mor falch o gyrraedd adre, mi neidiodd pawb allan o'r car a dechrau cario'u bagiau i'r tŷ. Yna'n sydyn reit clywson ni sŵn car – car Nina'r nani. Mae Nina wedi mynd i'r Alban gyda'i ffrind, ond mae ei char hi'n dal yma. Wel, mi wibiodd y car o gefn y tŷ ac i lawr y lôn.'

'Gwelais i e'n mynd lawr Stad Bryn-crin!' meddai Tomos.

'Oedd Babs ynddo fo?' llefodd Marged.

'Welais i ddim . . .'

'Welaist ti pwy oedd yn gyrru?' llefodd Morgan.

'Na,' meddai Tomos. 'Roedd y car wedi mynd heibio'n tŷ ni cyn i fi fynd at y ffenest.'

'Wel, roedden ni'n meddwl ar y dechrau fod Nina wedi dod adre'n gynnar o'i gwyliau ac wedi mynd â'r car,' meddai Marged. 'Ond yna mi sylweddolon ni fod Babs wedi diflannu.'

'Roedd cerdyn â chalon ddu arno – cerdyn tebyg i hwn – yn gorwedd ar garreg y drws!' meddai Morgan yn ddwys. 'Ac o fewn pum munud daeth galwad ffôn oddi wrth berson oedd yn siarad mewn llais gwichlyd ag acen estron – aelod o giang Y Galon Ddu.'

'Mi ddwedodd o wrthon ni am ofalu peidio â mynd at yr heddlu na dweud gair wrth neb, os oedden ni am gael Babs yn ôl yn ddiogel,' meddai Marged gan grynu.

Crychodd Tomos ei dalcen a sbecian ar Bob Elis. Pam oedd y plismon yno, felly?

Gwenodd Bob yn gam. 'Wnaeth Morgan a Marged ddim ffonio'r heddlu,' meddai. 'Cydddigwyddiad oedd y cyfan. Ti'n gweld, daeth galwad ffôn i swyddfa'r heddlu neithiwr i ddweud bod car wedi cael ei adael yn yr iard y tu ôl i orsaf Penderi â'i ddrysau ar agor. Es inne i ymchwilio ac, ar ôl darganfod mai Nina oedd y perchennog, des i draw yma. Dyna sut y des i i wybod am Babs. Ond does dim rhaid i chi boeni,' ychwanegodd yn frysiog wrth weld Marged yn dal i grynu. 'Mewn achosion fel hyn mae'r heddlu'n ofalus iawn, iawn. Dwi wedi cael gair â'r Uwch-Arolygydd ac mae e'n cytuno mai'r peth pwysica yw cael Babs yn ôl yn ddiogel. Wnawn ni ddim trio dal giang *Il Cuore Nero* nes i ni gael Babs yn ôl.'

'Giang Ilcwo Renero?' gofynnodd Tomos. 'Pwy yn y byd yw Ilcwo Renero?'

'*Il Cuore Nero*,' sibrydodd Ab yn ddiflas yn ei glust. 'Y Galon Ddu. Giang o'r Eidal ydyn nhw. *Il Cuore Nero* yw'r enw Eidaleg am Y Galon Ddu.'

'Mae'r giang wedi'n dilyn ni yma o'r Eidal,' meddai Marged gan ddisgyn yn swp i gadair freichiau a chuddio'i phen yn ei dwylo. 'Maen nhw eisiau'r bar aur, Tomos!'

'O!' Daliodd Tomos ei anadl.

Roedd gan y Cadabras dric enwog iawn o'r enw *Aur yr Alcemydd*. Yn ystod y tric roedd Morgan a Marged yn troi dyrnaid o lwch yn far o aur pur. Roedd y bar aur hwnnw'n cael ei gadw mewn lle diogel iawn, iawn yn Tŷ Mawr. Dim ond Morgan a Marged oedd yn gwybod ble oedd y guddfan.

'Ond sut ydych chi'n mynd i roi'r bar aur i'r giang?' gofynnodd Tomos.

Edrychodd Morgan a Marged Cadabra a Bob Elis ar ei gilydd ac ysgwyd eu pennau.

Doedd ganddyn nhw ddim syniad.

Aeth Tomos adre â'i fol yn corddi a'i ben yn troi.

Druan â'r Cadabras i gyd. A druan â Babs! Am brofiad ERCHYLL! Erchyll iawn!

A phrofiad erchyll arall oedd gorfod cadw draw heb wneud dim i helpu. Roedd Ab wedi cynnig help TAB a'r Cadabras, ond roedd Morgan a Marged wedi gwrthod yn bendant – ac wedi siarsio Tomos unwaith eto i beidio â dweud gair wrth neb. Neb o gwbl!

'Be sy'n bod, Tomos bach?' gofynnodd Mam amser cinio gan syllu ar y pentwr o fwyd ar blât ei mab. 'Does dim chwant bwyd arnat ti?'

'Na,' meddai Tomos.

'Dwyt ti ddim wedi dal yr hen ffliw 'na, wyt ti?'

'Na!' meddai Tomos yn bendant. Doedd e ddim wedi dal ffliw, achos doedd 'na ddim ffliw.

'*Bored* wyt ti, ontefe Twm?' meddai Mali a'i llygaid yn disgleirio. 'Wel, mae gen i syniad da.'

'NA!' meddai Tomos yn bendant iawn, IAWN. Beth bynnag oedd syniad Mali, doedd e ddim eisiau clywed amdano.

'O, Twm!' meddai Mali yn ei llais anwylaf. 'Mae Carlo'n chwarae rygbi'n erbyn yr Eidalwyr prynhawn 'ma ac mae eisiau help arna i i fynd â'r calonnau draw i neuadd yr ysgol. Wnei di ddod gyda fi? Fyddwn ni ddim yn hir, wir! Dyw'r neuadd ddim ond ar agor am awr neu ddwy er mwyn i ni gael cyfle i roi popeth yn barod ar gyfer heno.'

'Awr neu ddwy!' gwichiodd Tomos.

'Ie, ond fyddwn ni ddim yno am fwy na rhyw ugain munud,' meddai Mali gan wneud llygaid llo.

Ochneidiodd Tomos. Roedd e'n gwybod pam oedd Mali eisiau cwmni. Doedd Mali ddim eisiau bod ar ei phen ei hun gyda mam Carlo. Roedd hi'n dal braidd yn swil o flaen Mrs Jenkins. Wel, doedd Tomos ddim yn swil. Roedd mathemateg yn un o'i hoff bynciau ac roedd e'n dipyn o ffefryn gyda'r athrawes – er nad oedd e erioed wedi dweud hynny wrth Mali.

'O, ocê 'te,' meddai'n anfodlon. 'Ond os byddi di yno am fwy na hanner awr, bydda i'n cerdded adre.'

'Diolch, Twm!' meddai Mali'n llon gan neidio ar ei thraed a phlannu cusan mawr ar ben ei brawd wrth fynd heibio.

'IYYYYYCH!'

Awr yn ddiweddarach roedd Tomos a Mali'n gyrru heibio i gae rygbi Penderi. Ar y cae roedd criw o fechgyn mewn crysau coch a glas yn rhedeg ac yn gweiddi.

'W!' meddai Mali gan dynnu i mewn i'r ochr a stopio. 'Alli di weld Carlo?'

''Co fe fan'na,' meddai Tomos. 'Rhif 12.'

'Iiiich!' gwichiodd Mali mewn braw wrth i Rif 12 gael ei hyrddio i'r llawr gan grys glas. Cipiodd yr Eidalwr y bêl a tharanu ar draws y cae i sgorio cais. 'Iiich!' gwichiodd Mali eto gan dynnu wyneb hyll ar ei brawd. 'Dwi ddim eisiau gweld rhagor!' A thaniodd yr injan.

Gwenodd Tomos. Allai e ddim dychmygu ei chwaer ar gae rygbi. Roedd hi wedi treulio dros hanner awr yn coluro cyn dod allan ac roedd yn rhaid iddo gyfaddef ei bod hi'n edrych yn bert IAWN. Am unwaith – yn lle gwisgo dillad gwallgo – roedd hi wedi gwisgo'n smart mewn top du a sgert hir ac roedd ei gwallt cyrliog yn gwlwm twt ar dop ei phen. Roedd hi'n trio edrych fel person call a threfnus er mwyn plesio Mrs Jenkins.

Pan droion nhw i mewn i iard yr ysgol, roedd Mrs Jenkins yn sefyll o flaen drws y neuadd gyda Labrador du yn gorwedd wrth ei thraed. Roedd hi'n siarad â dyn canol oed gyda gwallt du ac wyneb crwn. Roedd y dyn yn edrych mor debyg i Mrs Jenkins, doedd Tomos yn synnu dim pan sibrydodd Mali, 'Brawd Mrs Jenkins yw hwnna. Fe sy wedi dod â'r grŵp o fyfyrwyr draw i Benderi. Enrico rhywbeth yw ei enw e. Wncwl Enrico.'

Roedd Mrs Jenkins a'i brawd yn siarad â'i gilydd pymtheg y dwsin, a phan agorodd Tomos ddrws y car, dechreuodd ei fol gorddi eto. Roedden nhw'n siarad Eidaleg! Ac roedd Babs wedi cael ei chipio gan giang o'r Eidal! Ai cyd-ddigwyddiad oedd y cyfan? Neu a oedd gan Enrico a'i fyfyrwyr rywbeth i'w wneud â'r Galon Ddu?

Ciledrychodd Mali ar ei brawd a gweld yr olwg gynhyrfus ar ei wyneb.

'Be sy'n bod?' meddai. 'Does dim ofn Mrs Jenkins arnat ti, oes e?'

'Na!' meddai Tomos yn swta ac estynnodd am y bocs calonnau o gefn y car.

Roedd y Labrador du'n eu gwylio. Pan ddechreuon nhw gerdded ar draws yr iard, sbonciodd ar ei draed a rhuthro fel corwynt draw at Mali. Yna neidiodd i fyny a llyfu ei hwyneb.

'O, slop-i!' gwichiodd Mali.

Trodd Mrs Jenkins a gwenu arnyn nhw. Dwedodd rywbeth wrth ei brawd a gwenodd yntau hefyd.

'Mal-i! Tom-os!' meddai gan ysgwyd llaw. Yna edrychodd yn y bocs a dweud, *'Che belli cuori! What beautiful hearts!'*

'Wel, rwyt ti wedi gweithio'n galed, Mali,' meddai Mrs Jenkins gan godi un galon a'i dal yng ngolau'r haul fel bod y *sequins* yn wincian. 'Mae Carlo wedi gorffen y goeden *polystyrene* a'i rhoi hi i sefyll mewn bin sbwriel. Mae hi'n edrych yn dda, ond mae hi braidd yn sigledig, felly bydd yn ofalus pan fyddi di'n hongian y calonnau arni. Bydd Carlo yma ymhen rhyw hanner awr, ac fe gaiff e roi cerrig neu rywbeth yn y bin i gadw'r goeden yn sownd. Iawn?'

'Iawn,' meddai Mali'n wylaidd.

'Diolch yn fawr,' meddai Mrs Jenkins gan roi winc fach i Tomos. 'A diolch i tithau, Tomos. Chwarae teg i ti am helpu, wir!'

'Dim prob, Mrs Jenkins,' meddai Tomos yn llon a dilynodd ei chwaer i mewn i'r neuadd.

Roedd y goeden yn sefyll wrth y drws a – waw! – roedd hi *yn* edrych yn dda. Yn dda iawn! Roedd Carlo'n eitha artistig. Roedd e wedi gwneud coeden fawr 'run siâp â phom-pom ac wedi ei lliwio'n aur.

'WAAAW!' meddai Mali'n hapus.

'Ie, WAAAW!' meddai Diana o'r Siop Flodau a oedd yn trefnu tusw o rosynnau cochion ar y ford gerllaw.

'Waw, wir!' snwffiodd Zak Watkins, y gofalwr, a oedd yn sefyll ar ben ysgol ac yn stryffaglio i hongian baneri Cymru a'r Eidal ar y wal yn ymyl y llwyfan. 'Llai o "waw" a mwy o help llaw. Dyna be sy eisiau.'

Winciodd Tomos ar ei chwaer a mynd draw i gynnig help i'r gofalwr. Er mai dim ond rhyw dri deg oed oedd Zak, roedd e'n enwog am fod yn ddiflas. Dyna'i *gimmick* e.

Am foment chymerodd Zak ddim sylw ohono.

Yna meddai, â baner Cymru'n fflapian o gwmpas ei ben, 'Be wyt ti'n wneud fan hyn ar ddydd Sant Ffolant, Tomos Beynon? Rwyt ti'n rhy ifanc i chwilio am gariad.'

'Dwi ddim yn chwilio am gariad,' meddai Tomos yn bendant. 'Dod i helpu Mali wnes i.'

'Hm!' Edrychodd Zak dros ei ysgwydd. 'Hi sy â'r goeden, ife? Be mae hi'n wneud? Hongian afalau?'

'Calonnau,' meddai Tomos.

'Dyw calonnau ddim yn tyfu ar goeden, 'achan!'

'Ond mae enw ym mhob calon,' eglurodd Tomos. 'Os wyt ti'n mynd i ddawnsio . . .'

'Dawnsio!' snwffiodd Zak.

'Ie wel, os wyt ti, fe gei di gymryd calon a bydd enw dy bartner di yn y galon.'

'Hy!' wfftiodd Zak. 'Am wastraff amser!'

Doedd Tomos ddim yn cytuno. Roedd y calonnau'n edrych yn ffantastig ar y goeden aur. Roedd Penderi wedi mynd ati o ddifri i estyn croeso i'r ymwelwyr o'r Eidal. Roedd neuadd yr ysgol wedi cael ei pheintio yn ystod gwyliau'r haf ac yn dal yn sglein i gyd. Ac roedd yr addurniadau mor lliwgar ac mor broffesiynol – y tuswâu o rosynnau cochion, dau glwstwr o falŵns llachar siâp calon, cadwyni o galonnau ffoil yn wincian ar y waliau – a'r baneri newydd sbon.

'Hen faneri dwl!' chwyrnodd Zak, gan roi'r gorau i drio'u rhoi nhw yn eu lle. Gollyngodd y ddwy ar y llawr, disgyn o'r ysgol a phwyntio'i fys at Tomos. 'Rhaid i fi nôl darn o weiren i'w dal nhw. Aros di fan hyn i warchod yr ysgol rhag ofn i un o'r lleill ei dwyn hi, Tomos.'

'Iawn,' meddai Tomos gan wenu.

Doedd neb yn debygol o ddwyn yr ysgol. Roedd pawb yn rhy brysur.

Roedd Mali'n brysur yn rhoi'r calonnau cochion ar y goeden.

Yn ei hymyl roedd Mrs Jenkins ac Enrico'n brysur yn trafod rhaglen y noson, gyda'r Labrador du'n cysgu'n sownd wrth eu traed.

Wrth y wal bella roedd Diana'n brysur yn trefnu blodau.

Ac roedd pawb yn edrych yn berffaith hapus – pawb ond Zak, a oedd yn bustachu ar draws y stafell gan gwyno o dan ei wynt.

Ac yna, wrth i Zak nesáu at Mali, dyma sgrech erchyll yn atsain drwy'r neuadd.

'IIIIIIII!

Ac ar yr un pryd sgrech arall.

'. . . *e Nero*!'

A chyn i Tomos gael ei wynt ato, roedd y Labrador wedi neidio at Mali, Mali wedi baglu'n erbyn y goeden, y goeden yn cwympo a phawb yn rhedeg o bob cyfeiriad i drio'i dal.

Rhy hwyr! Disgynnodd y goeden yn fflat ar ei hwyneb ar y llawr.

'Paid ti â phoeni, Mal. Fe helpwn ni di i roi'r popeth yn ôl yn iawn,' pwffiodd Diana gan blygu i'w chodi.

'Diolch, Di,' meddai Mali'n grynedig.

'Hei, beth ych chi'n wneud i 'nghoeden i?' Roedd Carlo newydd ruthro i mewn drwy'r drws.

'Sori!' snwffiodd Zak. 'Fy mai i oedd e! Fe sathrais i ar gynffon y ci ac fe neidiodd e am y goeden.'

'Paid â phoeni nawr!' meddai Mrs Jenkins gydag un fraich am y Labrador du. 'Pawb i gydio'n y goeden a'i chodi'n ofalus. Dyw hi ddim yn drwm ond mae hi'n fregus iawn.'

Safodd pawb rownd y goeden – Mali a Zak yn cydio'n y goes a Diana, Carlo, Enrico a Tomos yn cydio'n y pen.

'Barod?' meddai Mrs Jenkins. 'Un, dau,

Daeth sŵn 'Fflwmp! Fflwmp! Fflwmp!' w
i'r goeden godi. Roedd y calonnau wedi disgyn
oddi ar y bachau.

'Dim ots! Fyddwn ni fawr o dro yn eu rhoi
nhw'n ôl, yn na fyddwn?' meddai Mrs Jenkins
gan wenu'n llon ar Tomos.

Ond doedd Tomos ddim yn gwenu.

A doedd e ddim yn anadlu chwaith.

Am foment roedd e wedi colli'i wynt yn llwyr.

Yn gorwedd ar y llawr yng nghanol calonnau
cochion Mali roedd rhywbeth du, bygythiol.

Calon Ddu!

Tra oedd y lleill yn rhoi'r goeden yn ôl yn y
bin sbwriel, cipiodd Tomos y galon ddu a dianc i
gornel y stafell. Gwthiodd ei fysedd i mewn i'r
galon a thynnu rholyn bach o bapur allan.

Ar y papur roedd enw mewn inc aur:

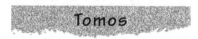

Tomos

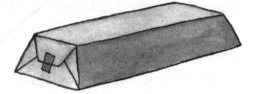

Deg munud yn diweddarach – ar ôl mynnu bod Mali'n ei yrru adre – roedd Tomos yn ei heglu hi drwy gât Tŷ Mawr â'r galon ddu yn ei law.

'SHTISH!' meddai llais syn o'r coed y tu draw i'r gât.

'Locsyn!' gwichiodd Tomos.

Tra oedd Tomos yn helpu Mali yn y neuadd, roedd Locsyn wedi penderfynu mynd am dro bach i ardd Tŷ Mawr i weld clystyrau o lili wen fach yn ymwthio drwy'r pridd oer.

'SHTISH!' meddai eto a rhedeg at Tomos.

Roedd golwg wedi gwylltu ar Tomos, a phan ddangosodd e'r galon ddu, doedd Locsyn yn synnu dim. Heb ddweud gair ymhellach rhedodd y ddau yn eu blaenau.

Cyn gynted ag iddyn nhw rowndio'r tro a dod i olwg y tŷ, taflodd Marged Cadabra'r drws led y pen ar agor. Ond y tro hwn wnaeth hi ddim gweiddi ar Tomos i gadw draw. Roedd ei llygaid wedi'u hoelio ar y galon ddu yn ei law.

'Morgan!' gwaeddodd.

Rhuthrodd Morgan a Bob o'r gegin a charlamodd Ab i lawr y staer. Caeodd Marged y drws ffrynt a'i folltio a brysiodd pawb i'r lolfa. Yno, gollyngodd Tomos y galon ddu ar y ford. Safodd pawb o'i amgylch ac am foment doedd dim smic i'w glywed ond sŵn ei anadlu trwm.

'Ble cest ti hon?' crawciodd Marged o'r diwedd.

'Ff . . . ffeindiais i hi yng nghanol calonnau coch Mali,' meddai Tomos.

'Be?' Syllodd pedwar pâr o lygaid arno.

Llyncodd Tomos yn galed.

'Mae Mali wedi bod yn gwneud calonnau coch ar gyfer y Ddawns Ffolant heno,' meddai. 'Pan gyrhaeddwch chi'r ddawns, fe gewch chi galon ac yn y galon bydd enw eich partner. Wel, ro'n i a Mali wedi mynd â'r calonnau i neuadd yr ysgol ac roedd Mali'n eu hongian nhw lan ar y bachau. Ro'n inne'n ei gwylio hi a . . .'

'Pa mor bell oddi wrth y goeden oeddet ti?' gofynnodd Bob ar ei draws.

'Dim ond rhyw bum metr. Wel, dim mwy nag

wyth ta beth,' meddai Tomos. 'Ro'n i gyda Zak Watkins, y gofalwr. Roedd Zak eisiau darn o weiren, ac ar y ffordd i'w nôl fe sathrodd ar gynffon ci Mrs Jenkins. Sgrechiodd y ci a neidio at y goeden galonnau, ac fe gwympodd y goeden yn fflat ar ei hwyneb. Wrth i ni ei chodi, disgynnodd y calonnau cochion yn un pentwr ar y llawr ac yn eu canol fe welais i hon!' Cipiodd Tomos y galon o'r ford a'i dal i fyny. 'Y Galon Ddu!'

'A doedd hi ddim yno cyn i'r goeden gwympo?' gofynnodd Morgan Cadabra ar un gwynt. 'Rwyt ti'n berffaith siŵr?'

'Ydw. A pheth arall . . .' Petrusodd Tomos. 'A pheth arall, wrth i'r goeden gwympo fe glywais i rywun yn sgrechian "... e Nero!"'

'Pwy?' cyfarthodd Bob Elis a'i lygaid fel tân.

Ysgydwodd Tomos ei ben. Allai e ddim bod yn bendant – felly doedd e ddim eisiau dweud. Na, doedd e ddim eisiau dweud o gwbl!

'Ond os oedd pob un o'r calonnau ar y goeden yn goch, sut gallai un ohonyn nhw droi'n ddu?' meddai'r ditectif gan grafu'i ben.

Ochneidiodd Marged Cadabra a syllu ar ei gŵr.

'Mae Morgan a fi'n gonsurwyr,' meddai. 'Ac felly rydyn ni'n gyfarwydd iawn â thriciau o bob math. Rwyt ti'n sôn am goeden, Tomos. Sut goeden oedd hi?'

'Un wedi'i gwneud o *polystyrene*,' meddai Tomos.

'Felly, pan oedd y goeden yn gorwedd ar y llawr roedd hi'n amhosib gweld beth oedd o dani?'

Nodiodd Tomos.

'Os felly,' meddai Marged, 'dwi'n meddwl dy fod ti'n iawn. Doedd 'na ddim calon ddu ar y goeden pan gwympodd hi. Mi daflodd rhywun y galon o dan y goeden pan oeddech chi'n trio'i chodi hi.'

'Ond mae hynny'n golygu bod o leia un o giang Y Galon Ddu yn y neuadd y prynhawn 'ma!' llefodd Bob Elis.

'Ydy,' meddai Morgan gan roi ei fraich am ysgwydd ei wraig.

'Y dihirod!' chwyrnodd Bob gan chwipio'i ffôn o'i boced. 'Dere â'u henwau nhw i fi. Dwi am ffonio'r swyddfa y funud hon a threfnu i rywun ddilyn pob un ohonyn nhw.'

'Na!' llefodd Marged.

'NA!' meddai Morgan. 'Rydyn ni wedi cytuno. DIM cysylltu â'r heddlu nes bod Babs yn ôl yn ddiogel.'

'Ond . . .' Gwasgodd Bob ei ddyrnau. 'Does dim byd yn digwydd. Rydyn ni'n dal heb glywed oddi wrth y giang. Dydyn ni ddim yn gwybod pryd na sut i drosglwyddo'r bar aur!'

'Roedd 'na neges hefyd,' meddai Tomos yn dawel. Gwthiodd ei fysedd i mewn i'r galon, tynnu allan y darn o bapur, ei ddad-rolio a dangos yr enw mewn inc aur.

'Tomos!' darllenodd Marged a gwasgu'i llaw dros ei cheg.

'Nid sgrifen Babs yw hwnna!' meddai Ab yn groch.

'Ond ei beiro hi ydy o,' sibrydodd ei dad. 'Pam mae enw Tomos ar y papur? Beth ydy . . .?'

Torrwyd ar ei draws gan sŵn aflafar y ffôn.

Mewn chwinc roedd Marged wedi rhuthro ar draws y stafell a chodi'r derbynnydd. Cyn iddi cael cyfle i ddweud gair, hisiodd llais isel, estron: 'Tomos dod â bar aur i'r Dawns. Lapio fe mewn papur brown, digon o papur brown. Gadael fe yn y bin dan y coeden calonnau erbyn wyth o'r gloch. Dim tric. Dim dweud wrth yr heddlu. Iawn?'

'Iawn!' llefodd Marged. 'Ond beth am Babs? Sut ydyn ni'n mynd i'w chael hi'n ôl? Ydych chi . . .?'

Clic! Aeth y ffôn yn fud. Gollyngodd Marged y derbynnydd a throi at Tomos. Roedd ei hwyneb fel mwgwd gwyn.

'Rrrrrrr!' chwyrnodd Locsyn yn dawel. Roedd wynebau pawb fel mygydau gwyn, a syllai pedwar pâr o lygaid ar Tomos.

Cliriodd Tomos ei lwnc.

'Mae'n iawn,' meddai'n floesg. 'Fe a' i â'r bar aur.'

'Tomos!' Gafaelodd Marged yn ei law a'i gwasgu. 'Mae'n rhy beryglus i ti!' Edrychodd ar Bob.

'Fydd e ddim mewn perygl,' meddai Bob yn bendant. 'Fe ofala i am hynny.'

'Ond pam defnyddio Tomos?' meddai Morgan Cadabra'n wyllt. 'Pam na fedra i neu Marged fynd â'r bar aur?'

'Wel . . .' gwenodd Bob Elis yn drist.

'Achos mai consurwyr ych chi, wrth gwrs!' sibrydodd Ab. 'Mae'r Galon Ddu'n meddwl y byddwch chi a Mam yn chwarae tric arnyn nhw.'

Nodiodd y plismon.

'Ond fydden ni ddim yn chwarae tric!' meddai Marged. 'Rydyn ni eisiau cael Babs yn ôl! Dyna sy'n bwysig – nid rhyw ddarn o aur.'

'Yn hollol,' meddai Bob. 'Dyna pam . . .'

'Dyna pam mae'n rhaid i ni wneud yn union fel maen nhw'n dweud.' Ochneidiodd Morgan a rhoi ei law ar ysgwydd Tomos. 'Tomos,' meddai. 'Does dim rhaid i ti gytuno . . .'

'Dwi'n ddigon bodlon, wir!' meddai Tomos.

'Wel, os wyt ti'n cytuno,' meddai Morgan yn ddwys, 'mi gei di'n ffonio ni pan fyddi di'n barod i fynd i'r ddawns. Mi ddown ni â'r bar aur i ti bryd hynny wedi'i lapio mewn papur brown. Y cyfan fydd raid i ti wneud fydd mynd â'r pecyn yn syth i'r neuadd a'i adael o dan y goeden. Ond cofia, dim triciau. A phaid â thrio gwneud gwaith ditectif. Wyt ti'n addo?'

'Addo,' meddai Tomos.

Edrychodd ar Ab a nodiodd Ab yn ddiflas. Os oedden nhw am gael Babs yn ôl, doedd dim dewis ond ufuddhau i'r giang.

'Diolch, Tomos bach,' meddai Marged. Tynnodd ei llaw'n dyner dros ei wallt cyn plygu i roi cusan mawr ar ei foch.

Arhosodd Locsyn am foment ac yna tasgodd ei glustiau'n syth i fyny. Roedd e wedi disgwyl i Tomos ddweud 'Iych!' wrth gael y cusan – ond wnaeth e ddim!

Na, ddwedodd Tomos ddim 'Iych!' nes cyrraedd adre a mynd lan i'w stafell.

Yna: 'Iych! Iych! Iych! Iych!' ochneidiodd gan daflu ei hun ar ei wely a chladdu'i wyneb yn y gobennydd.

'Hei!' meddai llais o'r landin. 'Paid â bod mor anghwrtais!'

'Y?' Cododd Tomos ei ben. Roedd rhyw fath o gorryn enfawr yn sefyll ar dop y staer.

Daeth y corryn yn nes a gwthio'i ben rownd y drws. Roedd e'n gorryn rhyfeddol o nerfus.

'Dwyt ti ddim yn hoffi fy ffrog i?' gofynnodd y corryn. 'Pam? Be sy'n bod arni?'

'Dim!' ochneidiodd Tomos. Mali oedd yno, wrth gwrs. Roedd hi'n gwisgo'i ffrog ar gyfer y ddawns, ffrog ddu gyda sgert fel balŵn a chadwyni o galonnau coch yn hongian o'r llewys ac yn bachu ar y sgert. Oedd, roedd hi'n edrych yn union fel corryn ar we o galonnau.

Fel arfer, fyddai Mali'n poeni dim am wisgo'r fath beth. A dweud y gwir, roedd hi'n ffrog eitha parchus o'i chymharu â'r dillad eraill roedd Mali wedi'u gwneud yn y gorffennol, ond roedd Mali'n teimlo'n nerfus o achos Mrs Jenkins.

'Wyt ti'n meddwl y bydd Mrs Jenkins yn hoffi'r ffrog?' gofynnodd Mali mewn llais bach.

'Bydd, wrth gwrs!' meddai Tomos yn bendant iawn. 'Bydd hi wrth ei bodd. Wir!'

'Ond pam ddwedaist ti "Iych"?' gofynnodd Mali'n ofidus.

'Achos . . .' Cnodd Tomos ei wefus. Achos roedd e'n gorfod cadw cyfrinach – dyna pam. Achos doedd e ddim yn cael gwneud ei waith ditectif. Achos roedd e'n poeni am Babs. 'Ym . . . achos does gyda fi ddim byd i'w wneud,' meddai ar ras. 'Ga i ddod i'r Ddawns Ffolant gyda ti heno?'

Syllodd Mali arno mewn sioc a rhyfeddod.

'Wel, cei wrth gwrs. Os wyt ti eisiau,' meddai. 'Fe wna i grys i ti.'

'NA!' gwaeddodd Tomos – ond rhy hwyr! Roedd Mali'r corryn du wedi sboncio'n llon yn ôl i'w hystafell.

Mali! Teimlodd Tomos ias sydyn yn ei fol wrth feddwl am ei chwaer. Caeodd ei lygaid yn dynn gan gofio digwyddiadau'r prynhawn hwnnw yn neuadd yr ysgol. Zak yn sathru ar gynffon y ci . . . y ci'n udo 'Iiiiiii!' . . . a'r llais yn gweiddi '. . . *e Nero*!' wrth i'r goeden gwympo. Gallai e dyngu mai Mali oedd piau'r llais hwnnw.

Sut oedd Mali wedi clywed am Y Galon Ddu?

Feiddiai e ddim gofyn iddi. Feiddiai e ddim dweud gair.

Roedd e wedi addo.

Pwysodd Locsyn ei drwyn ar y gwely a syllu ar Tomos gyda llygaid mawr, trist.

'Does dim byd y gallwn ni wneud, Locsyn,' meddai Tomos. 'Dim, dim, dim.' Rholiodd i wynebu ei ffrind ac, wrth wneud, teimlodd rywbeth caled ym mhoced ei siaced. Gwthiodd ei law i mewn a thynnu allan y ddol o'r Eidal. 'O! Anghofiais i bopeth am hon,' meddai. 'Rhaid i fi ei rhoi hi'n ôl i Morgan a Marged heno.'

'Iiiip,' meddai Locsyn.

Roedd Babs wedi cael tair dol fach o'r Eidal – gondolïwr o Fenis, merch mewn gwisg draddodiadol o fynyddoedd y Dolomitau, a'r milwr o'r Fatican. Roedd hi wedi mynd â nhw gyda hi i Gaerdydd yn ei bym-bag. Tybed a oedd y ddwy arall gyda hi o hyd? Tybed ble oedd Babs?

Ochneidiodd Tomos a mynd i wasgu ei drwyn ar y ffenest. Roedd hi'n hanner awr wedi pedwar. Bron 21 awr yn ôl roedd Babs wedi cael ei chipio o dan drwynau ei rhieni. Bron 21 awr yn ôl roedd y car oedd yn ei chludo wedi gwibio drwy gât Tŷ Mawr. Bron 21 awr yn ôl roedd Babs wedi gwneud ei gorau glas i alw am help.

Roedd hi wedi sgriblan neges.

Roedd Tomos wedi gadael y neges honno gyda Morgan a Marged yn Tŷ Mawr, ond roedd e'n dal i'w chofio. Disgynnodd i'r gadair wrth ei ddesg, gafael mewn beiro a darn o bapur a thynnu llun cerdyn ag un galon ddu arno. Yna fe ychwanegodd linell a sgwigl mewn beiro coch, achos doedd gydag e ddim beiro aur.

'Iip! Iip! Iip!' cyfarthodd Locsyn yn gyffrous. Roedd e mor falch o weld Tomos yn gwneud gwaith ditectif unwaith eto.

Gwenodd Tomos yn drist.

'Dwi wedi addo peidio â gwneud gwaith ditectif go iawn,' meddai. 'Ond fe anfonodd Babs neges i fi ac mae'n rhaid i fi drio'i deall hi, on'd oes?'

'Iip!' cytunodd Locsyn gan roi un bawen ar y ddesg ac edrych ar y llun â'i ben yn gam.

'Ti'n gweld, dim ond ychydig eiliadau gafodd Babs i sgrifennu neges,' meddai Tomos.

'Rrrr-iip!' cytunodd Locsyn.

'Felly chafodd hi ddim ond cyfle i wneud dau sgwigl. Beth mae'r ddau sgwigl yn ei olygu i ti, Locsyn?'

Llithrodd llygaid Locsyn i gyfeiriad Tomos ac ysgydwodd ei gynffon yn araf, araf.

'Shtish,' meddai'n dawel.

Chwarddodd Tomos.

'Na, dydyn nhw'n golygu dim byd i finne chwaith,' meddai. 'Ac eto . . .' Diflannodd y wên. 'Rhaid eu bod nhw'n bwysig neu fyddai Babs ddim wedi'u sgrifennu nhw. Beth ydyn nhw, dwed? Rhifau 1 a 2? Llythrennau – l a Z? Neu gymysgedd o'r ddau? Rhif 1 a Z neu'r llythyren l a 2?'

Disgynnodd Locsyn ar y llawr a chrafu'i glust.

'Ac oes gyda nhw ryw gysylltiad â'r bobl oedd yn y neuadd y prynhawn 'ma – Mrs Jenkins, Enrico, Zak, Diana, Carlo . . . a Mali? A . . .'

Cododd Locsyn ei ben mewn braw. Roedd Tomos wedi rhewi'n sydyn ar ganol gair, a'i geg ar agor led y pen.

'Iap?' meddai Locsyn.

Caeodd Tomos ei geg yn glep, ond roedd ei dalcen yn grychau i gyd wrth iddo syllu ar ei ffrind.

'A sut oedd y giang yn gwybod y byddwn i'n mynd i'r neuadd prynhawn 'ma?' meddai. 'Sut oedden nhw'n gwybod am y goeden galonnau?'

Udodd Locsyn a dianc o'r ffordd wrth i Tomos neidio ar ei draed a brasgamu'n benderfynol ar draws y landin. Roedd yn RHAID iddo ofyn cwestiwn i Mali. Curodd ar ddrws stafell wely ei chwaer a heb aros am ateb, cerddodd i mewn.

'. . . *e Nero*!' Gwasgodd Mali'i llaw dros ei ffôn symudol a gwichian wrth i awel o wynt o'r drws agored chwythu ei dau gerdyn Ffolant o ben y cwpwrdd. 'Cer mas! Cer mas!' rhuodd ar ei brawd. 'Beth wyt ti'n wneud yn byrstio i mewn fan hyn? Cer mas!'

'Gyda phwy wyt ti'n siarad?' gofynnodd Tomos yn llym.

'Mas!' Pwyntiodd Mali'n chwyrn at y drws.

'Ond . . .'

'MAS!' sgrechiodd Mali. 'Mas!' Neidiodd ar ei thraed a rhoi hwb i'w brawd drwy'r drws.

Baglodd Tomos dros bentwr o ddillad a glanio ar y landin gyda chrys rygbi wedi'i lapio am ei goes.

Crys rygbi coch Carlo oedd e. Cydiodd Tomos yn y dilledyn a syllu ar y rhif ar ei gefn.

Rhif 12!

Pennod 7

Un deg dau! Roedd y rhif 12 ar grys Carlo ac roedd rhywbeth tebyg ar gerdyn Babs! Ac roedd Mali'n sôn am Y Galon Ddu – *Il Cuore Nero* – ar y ffôn.

Disgynnodd Tomos ar erchwyn y gwely a'i ddwylo'n crynu. Yn y gegin islaw roedd Mam a Dad yn sgwrsio a chwerthin yn llon. Fydden nhw ddim mor hapus petaen nhw'n gwybod bod eu merch yn 'nabod giang Y Galon Ddu. Doedd bosib fod Mali'n gwybod bod y giang wedi cipio Babs! Doedd Mali ddim yn ddihiryn!

'Sut galla i ei rhybuddio hi, Locsyn?' sibrydodd. 'Dwi wedi addo peidio â sôn am Y Galon Ddu!'

Roedd Tomos yn dal i eistedd yn swrth a'r chwys yn rhedeg i lawr ei wyneb, pan ddaeth

Dad lan y staer bum munud yn ddiweddarach. Clywodd Tomos smic bach o sŵn a dyna lle'r oedd Dad yn sbecian drwy gil y drws.

'*Buona sera, signorina, buona sera!*' canodd Dad.

'Be?' gwichiodd Tomos.

'*Buona sera, signorina, buona sera,*' canodd Dad eto. Eisteddodd ar y gwely yn ymyl Tomos. 'Clywed dy fod ti'n mynd i'r ddawns, Romeo Beynon,' meddai'n bryfoclyd. 'Wel, *Buona sera, signorina* – dyna sut mae dweud "Noswaith dda, ferch ifanc," wrth Eidales.'

'Noswaith dda, ferch ifanc?' snwffiodd Tomos. 'Noswaith dda, ferch ifanc!!! I be fyddwn i eisiau dweud y fath beth?'

Gwenodd Dad yn ddwl. Doedd e'n deall dim. Dim o gwbl! Mor wahanol oedd ei wyneb e i wynebau Morgan a Marged Cadabra.

'Wel, os byddi di'n dawnsio . . .'

'Dwi ddim yn mynd i ddawnsio!' torrodd Tomos ar ei draws.

'Na?' Roedd llygaid Dad wedi gwibio at y ddesg. Roedd e wedi gweld llun y cerdyn â'r galon ddu arno. 'Beth yw hwn 'te, blodyn? Wyt ti'n mynd i'w anfon . . .?'

'Nadw!' Cipiodd Tomos y llun o law ei dad. Beth oedd yn bod ar Dad? Pam oedd e'n siarad mor ddwl? Pam oedd e'n galw'i fab deuddeg oed yn flodyn? 'Cer i ffwrdd, Dad!' snwffiodd Tomos.

'Ocê.' Cododd Dad ei ysgwyddau'n llon ac yna gwthiodd ei ddwylo i'w bocedi ac ymlwybro i ffwrdd ar draws y landin gan chwibanu'r gân.

'Noswaith dda, ferch ifanc!!!' sibrydodd Tomos wrth Locsyn. 'Dyw e ddim yn gall.'

'Yff!' Roedd Locsyn yn cytuno'n llwyr.

Tawelodd y ddau. Roedd Dad yn curo ar ddrws Mali.

'Ie?' galwodd Mali.

Agorodd Dad y drws ac atseiniodd grwnan hapus peiriant gwnïo ar draws y landin. Roedd Mali wedi gorffen ei galwad ffôn ac wedi mynd ati i wnïo. Aeth Dad i mewn i'r stafell a stopiodd y grwnan.

'Hei, Dad! Be ti'n wneud yn busnesa?' meddai Mali.

'Dwi ddim!' chwarddodd Dad.

'Wyt! Rwyt ti'n darllen fy nghardiau Ffolant i!'

Chwarddodd Dad eto.

'Wyddwn i ddim fod gen ti ddau gariad, Mal,' meddai.

'Dwyt ti ddim yn gwbod popeth, wyt ti?'

'Mmmm!' Roedd Dad yn amlwg yn darllen y cardiau. 'Paid dweud dy fod tithe hefyd wedi cwympo mewn cariad ag un o'r Eidalwyr!' meddai.

'Wel, mae Carlo'n hanner Eidalwr,' atebodd Mali.

'Ond beth am dy gariad arall di?'

'Pwy?' Roedd Mali'n giglan.

'*Swsys mawr slopi*,' darllenodd Dad, '*oddi wrth* . . .'

Giglodd Mali'n uwch.

'. . . *Nero.*'

Neidiodd Tomos mewn braw – a Locsyn hefyd.

'Pwy yw Nero?' gofynnodd Dad.

Mewn chwinc roedd Tomos a Locsyn wedi croesi'r landin a tharanu drwy ddrws stafell Mali. Drwy lwc, roedd Mali mewn hwyliau da. Roedd hi'n chwerthin ar Dad a oedd yn sefyll ger y drws gyda cherdyn Ffolant yn ei law. Ar y cerdyn mewn sgrifen anniben roedd y geiriau *Swsys mawr slopi oddi wrth Nero* a . . . MARC PAWEN!

Cyfarthodd Locsyn yn wyllt, ac ar yr un pryd sbonciodd calon Tomos fel pêl newydd sbon.

'Ci yw Nero!' gwaeddodd dros y lle.

'Aha!' meddai Dad gan syllu ar y marc aneglur yn ymyl y geiriau. 'Ci pwy?' gofynnodd.

'Ci Mrs Jenkins!' gwaeddodd Tomos. Roedd e mor falch!

'Ci Carlo!' protestiodd Mali. 'Ci Carlo yw e go iawn. Labrador du. Mae e'n lyfli. Mae e wastad yn rhoi swsys mawr slopi i fi, on'd yw e, Twm?'

Nodiodd Tomos. Roedd ei galon yn curo fel gordd, a'i fochau'n goch, ond roedd e'n wên o glust i glust. Roedd e'n gwenu er ei fod e, Ditectif Tomos, wedi gwneud camgymeriad mawr. Doedd Mali ddim wedi gweiddi enw'r Galon Ddu yn y neuadd y prynhawn hwnnw. Gweiddi ar Nero oedd hi, pan neidiodd y ci at y goeden. Felly doedd Mali'n gwybod dim am y giang fileinig oedd wedi cipio Babs – wel, o leia gobeithio nad oedd hi.

Ar ôl i Dad fynd allan, pwysodd Tomos ar y cwpwrdd â'r cerdyn Ffolant yn ei law.

'Wyt ti'n gwybod beth yw "cariad" yn Eidaleg?' gofynnodd.

'*Amore!*' meddai Mali gan daflu ei breichiau ar led fel cantores opera.

'A beth yw "calon"?'

'Calon?' Crychodd Mali ei thrwyn ac edrych ar ei brawd. 'Dim syniad. Pam? Hei! Dwedodd Dad wrtha i, "Dwyt *tithe* ddim wedi cwympo mewn cariad gydag un o'r Eidalwyr, wyt ti?" Ro'n i'n methu deall pwy oedd y person arall roedd e'n sôn amdano, ond TI yw e. Pwy wyt ti'n ffansïo? Allegra? Maria? Paola?'

'Dim un ohonyn nhw,' meddai Tomos. 'Dwi erioed wedi cwrdd â nhw, ydw i?'

'Wel, fe gei di gwrdd â nhw heno.' Winciodd Mali a throi'n ôl at y peiriant gwnïo. 'Mas o'm ffordd i nawr, Twm.'

Allan â Tomos ar unwaith. Caeodd ddrws stafell ei chwaer a phwyso am foment ar ganllaw'r staer i gael ei wynt yn ôl. Whiw! Gwenodd yn gam ar Locsyn. Roedd e'n teimlo mor wan â phluen, ond roedd e'n falch hefyd – mor falch! – nad oedd ei chwaer yn 'nabod giang Y Galon Ddu.

Aeth yn ôl i'w stafell wely gyda sbonc ac eistedd wrth ei ddesg.

Roedd enw'r ci wedi ei ddrysu'n llwyr. Du oedd lliw'r ci a *nero* oedd y gair Eidaleg am du. Am gyd-ddigwyddiad!

Oedd yna gyd-ddigwyddiadau eraill, tybed?

Syllodd Tomos ar lun y cerdyn ar ei ddesg ac ar y sgribls oedd yn edrych yn debyg iawn i rifau 1 a 2.

Oedd y rhif 12 ar grys Carlo'n gyd-ddigwyddiad?

Oedd.

Nodiodd Tomos yn ddoeth. Os oedd Babs eisiau tynnu sylw at Carlo, fyddai hi ddim yn sgrifennu'r rhif 12. Byddai hi'n sgrifennu'r llythyren 'C'.

Caeodd Tomos ei lygaid. Roedd yn rhaid dechrau o'r dechrau a gadael i ddigwyddiadau'r dydd ail-weindio fel ffilm yn ei ben. Pob gair. Popeth.

'Rrrrrrr,' chwyrnodd Locsyn yn dawel.

Roedd e wedi clywed drws stafell Mali'n agor a doedd e ddim am iddi dorri ar draws Tomos pan oedd e'n gwneud ei waith ditectif.

'RRRRR!' chwyrnodd yn uwch wrth i Mali frysio'n swnllyd ar hyd y landin.

Ac yna, wrth iddi fyrstio i mewn i stafell Tomos, neidiodd Locsyn ar ei draed a ffrwydrodd sŵn o'i geg:

'SHTISH!

Pennod 8

Agorodd Tomos ei lygaid. Roedd Mali'n sefyll o'i flaen gyda rhosyn coch rhwng ei ddannedd a dilledyn du yn ei llaw. Cipiodd y rhosyn o'i cheg.

'Be ti'n feddwl?' meddai gan ddangos y dilledyn.

'Shtish!' meddai Locsyn yn chwyrn.

'Nid i ti mae e, Locsyn,' chwarddodd Mali. 'Crys i Tomos yw hwn. Wel?' Chwifiodd y crys du o dan drwyn ei brawd. Crys sidan gyda gwddw uchel oedd e, crys eitha plaen heblaw fod Mali wedi brodio balŵn ddu siâp calon ar yr ysgwydd chwith gyda llinyn y falŵn yn cordeddu fel neidr o un ochr y crys i'r llall.

Ddwedodd Tomos ddim gair.

'Be sy'n bod?' gofynnodd Mali. 'Dwyt ti ddim yn hoffi'r crys?'

'Na, mae'r crys yn iawn. Diolch,' meddai Tomos.

Gwichiodd Locsyn mewn syndod. Doedd bosib fod Tomos yn mynd i wisgo crys gyda chalon o unrhyw fath arno, heb sôn am galon ddu! Ond doedd Tomos ddim am ddadlau gyda'i chwaer ynglŷn â dillad. Roedd ganddo bethau llawer mwy pwysig ar ei feddwl.

'Mal,' meddai. 'Dwi'n meddwl bod y goeden galonnau'n syniad gwych.'

'Wrth gwrs ei bod hi,' meddai Mali. 'Fi feddyliodd amdani, ontefe? Neithiwr yn y car fe neidiodd y syniad i'm meddwl i fel'na!' Cliciodd Mali'i bysedd.

'Pwy oedd yn gwybod amdani cyn heddi 'te?' gofynnodd Tomos.

'Roedd Carlo'n gwybod,' meddai Mali. 'A'i fam. Ac Wncwl Enrico falle. Pam?'

'Dim ond meddwl y bydd hi'n syrpreis ffantastig i bawb arall.' Gwenodd Tomos fel angel. 'Mae'r crys yn ffantastig hefyd, Mal.'

'Wrth gwrs,' meddai Mali gan chwifio'r rhosyn

coch. 'Ond beth am hwn 'te? Hei!' Rhoddodd broc i'w brawd a oedd wedi suddo'n ôl i'w gadair â golwg bell yn ei lygaid. 'Dwi'n siarad gyda ti. Edrych! Rhosyn?' Daliodd Mali'r rhosyn yn erbyn ysgwydd dde'r crys ac yna'i gipio i ffwrdd. 'Neu dim rhosyn? P'un sy orau gyda ti?'

Cododd Tomos ei ben mor sydyn, fe gleciodd ei esgyrn.

'Rhosyn? Neu dim rhosyn?' meddai Mali'n ddiamynedd.

'Rh . . . rhosyn!' atebodd Tomos a'i lygaid fel soseri.

Am foment roedd e wedi meddwl fod Mali'n ei alw'n rhosyn. Ond nid 'Edrych, rhosyn!' ddwedodd hi. O, na! Be ddwedodd hi oedd, 'Edrych! Rhosyn?' Ac roedd hynny'n hollol wahanol. O, oedd!

'Grêt,' meddai Mali. Roedd hi mor falch fod ei brawd bach am wisgo'n trendi am unwaith. I ffwrdd â hi gan sboncio'n hapus yn ôl i'w stafell.

Neidiodd Tomos ar ei draed.

Safodd am foment yn llonydd fel delw, yna gwasgodd ei ddyrnau'n ara bach a lledodd gwên gyffrous ar draws ei wyneb. Trodd at y ffenest a syllu ar Stad Bryn-crin.

'Go dda, 'rhen Babs!' sibrydodd. 'Rwyt ti'n dditectif gwerth chweil, wedi'r cyfan, ac yn haeddu bod yn aelod o TAB a'r Cadabras!'

'Iip?' meddai Locsyn yn syn.

'Ydy!' meddai Tomos. 'Meddylia! Roedd Babs newydd gael ei chipio ac wedi dychryn, mae'n siŵr. Ac eto roedd hi'n ddigon call i ddweud wrthon ni pwy oedd yn gyfrifol.'

Cododd Tomos y ddol fach o'r Eidal a llun y cerdyn â'r galon ddu arno a'u dal nhw i fyny.

'Mae'r ateb i'r dirgelwch fan hyn, Locsyn! Mae Babs wedi dweud wrthon ni pwy yw giang Y Galon Ddu!'

Syllodd Locsyn ar y ddol ac ar y cerdyn â'i ben ar dro. Doedd e'n deall dim – nes i Tomos sibrwd dau enw yn ei glust – ac yna fe chwyrnodd mewn sioc.

'RRRRRR!'

Chwyrnodd Locsyn yn uwch fyth pan ddwedodd Tomos, 'Mae hon yn giang gyfrwys iawn – ac os wyt ti a fi am eu trechu nhw, rhaid i ni fod yn fwy cyfrwys fyth. Dwi'n mynd draw i Tŷ Mawr NAWR y funud hon a gofyn a ga i'r bar aur. Wedyn dwi'n mynd i drefnu syrpréis fach yn y ddawns i giang Y Galon Ddu!'

'Iiiii!' udodd Locsyn yn dorcalon
'Iiiiiiiiiiiiii!'

Beth os oedd Tomos yn gwneud camgymeriad? Beth os oedd e'n mynd ar ei ben i berygl ac yn peryglu bywyd Babs hefyd?

'Dwi ddim yn gwneud camgymeriad!' meddai Tomos a'i lygaid yn disgleirio. 'Ac i brofi hynny dyma dri chliw i ti, Locsyn.

'Un. Pwy oedd yn gwybod am y goeden galonnau?

'Dau. Pam mae'r giang yn mynnu bod y bar aur yn cael ei lapio mewn papur brown?

'Tri. Pam maen nhw eisiau i fi fynd â'r bar i'r ddawns?

'Meddylia di!'

'I-iiii!' gwichiodd Locsyn. Roedd e'n rhy nerfus i feddwl.

'A dwi'n gwbod bod y Cadabras wedi gofyn i fi beidio â gwneud gwaith ditectif,' ychwanegodd Tomos. 'Ond dwi'n mynd i siarad gyda Morgan a Marged a – gyda thipyn o lwc – fe newidian nhw'u meddyliau.' Diflannodd y wên ac edrychodd Tomos yn ddifrifol iawn ar ei ffrind. 'Wir i ti, Locsyn,' meddai, 'dyna'r ffordd orau i gael Babs adre'n ddiogel a dal Y Galon Ddu!'

Pennod 9

Am saith o'r gloch y noson honno roedd hi'n halibalŵ yn Rhif 10, Stad Bryn-crin.

Ar y landin roedd Mali'n gweiddi ar dop ei llais: 'Tomos! Dwyt ti ddim wedi cael BÀTH!'

'Dim amser!' gwichiodd Tomos a'i wynt yn ei ddwrn.

'Dim amser?' rhuodd Mali. 'Dim AMSER? Beth ar y ddaear wyt ti wedi bod yn ei wneud?'

A! meddyliodd Tomos. Petai Mali ond yn gwybod! Roedd e wedi bod yn brysur iawn,

iawn. Roedd e wedi sleifio lan i Tŷ Mawr i gael gair gyda Morgan a Marged a chasglu'r bar aur wedi'i lapio mewn papur brown.

'Cer i gael cawod nawr y funud hon, neu chei di ddim gwisgo'r crys 'ma!' Chwifiodd Mali'r crys newydd uwch ei phen.

'SHTISH!' meddai Locsyn o'r stafell wely lle roedd e'n gwarchod y bar aur.

Nid yn unig roedd balŵn siâp calon ar y crys, ond roedd rhosyn arno hefyd. Fel arfer byddai Tomos yn ddigon balch o gael esgus dros beidio â gwisgo'r fath beth, ond nid heno. Fe blymiodd ar ei union i'r stafell 'molchi a neidio dan y gawod.

Deg munud yn ddiweddarach, â'i wallt gwlyb yn glynu i'w ben, roedd Tomos yn ei grys sidan du a'i siaced ledr yn dringo i gar Carlo. O ffenest y stafell wely gwyliodd Locsyn bob symudiad. Aeth cryndod bach drwy'i gynffon wrth weld siâp y bar aur o dan siaced Tomos. Dyna falch oedd e fod plismon yn cadw llygad ar ei ffrind o ddiogelwch cysgodion coed Tŷ Mawr!

Udodd Locsyn yn dawel bach wrth i'r car ddiflannu. Udodd eto wrth i gar Bob Elis ei ddilyn. Yna ciliodd o'r ffenest a sleifio i lawr y grisiau i eistedd wrth draed Mam a Dad yn y stafell fyw.

Roedd Dad wedi prynu tusw mawr o rosynnau cochion i Mam ar ddydd Sant Ffolant.

'SHTISH!' snwffiodd Locsyn.

'Whit-Whiw!' Yn neuadd ysgol Penderi roedd Zak Watkins y gofalwr yn chwibanu'n uchel.

Trodd Mrs Jenkins i weld pwy oedd yn dod drwy'r drws.

'Wel, Mali!' meddai. 'Rwyt ti'n edrych yn ffantastig.'

'*Bellissima!*' meddai Enrico, ei brawd. 'Del iawn!'

Ond doedd Zak Watkins ddim yn chwibanu ar Mali yn ei ffrog ddu a'r llinynnau o galonnau'n hongian o'r llewys. Gwneud hwyl am ben Tomos oedd e.

'Bachan, bachan!' meddai. 'Rwyt ti'n edrych fel cacen briodas yn y crys 'na!'

'Dyw cacennau priodas byth yn ddu!' snwffiodd Tomos, gan hofran yn ymyl y goeden galonnau yn ei grys sidan gyda'r galon a'r rhosyn arno.

O'r diwedd aeth y gofalwr allan i'r gegin ac

mewn chwinc roedd Tomos wedi plygu a gwthio pecyn mawr brown i'r bin sbwriel oedd yn dal y goeden.

Sylwodd neb arno. Doedd y dawnswyr ddim wedi cyrraedd eto. Dim ond rhyw ddwsin o bobl oedd yn y stafell ac roedd rheiny'n brysur yn twtio a thrafod. Roedd y DJ a'i ffrind yn gosod offer miwsig ar y llwyfan. Roedd Diana'n brwsio llwch blodau oddi ar y ford gyda brws bach arian. Roedd tair gwraig yn cario bwyd drwodd i'r gegin ac roedd Carlo a Mali ac Enrico'n gwrando ar Mrs Jenkins yn rhoi cyfarwyddiadau.

'Beth wyt ti am wneud, Tomos?' galwodd Mrs Jenkins.

'Ga i aros fan hyn wrth y goeden a gwneud yn siŵr bod pawb yn cymryd calon?' gofynnodd Tomos yn gwrtais.

'Cei siŵr,' meddai Mrs Jenkins gan wenu'n dyner ar un o'i hoff ddisgyblion. Chwarae teg i Tomos bach am ddod i'r ddawns, meddyliodd. Byddai pawb arall gymaint yn hŷn nag e. Blwyddyn 11 o leiaf. Roedd e'n edrych mor smart hefyd yn ei grys sidan du gyda'r *cuore nero* ar ei ysgwydd.

Edrychodd Mrs Jenkins ar ei wats. Roedd hi'n

ugain munud wedi saith. Roedd y ddawns i fod i ddechrau ymhen deg munud, ond siawns na fyddai pawb wedi cyrraedd tan tua ugain munud i wyth. Aeth draw at Tomos.

'Dyma'r ail set o galonnau,' meddai gan estyn bag iddo. 'Os nad wyt ti am ddawnsio, fe gei di eu rhoi ar y goeden erbyn pum munud i wyth. Dyna pryd fyddwn ni'n newid partneriaid.'

'Iawn,' meddai Tomos. Roedd hynny'n ei siwtio i'r dim. Trodd a gwenu ar y dawnswyr cyntaf a oedd newydd ddod drwy'r drws.

Hanner awr yn ddiweddarach roedd y neuadd yn fwrlwm o sŵn ac o hwyl, gyda Chymry ac Eidalwyr ifainc yn dawnsio'n hapus gyda'i gilydd ac yn gwneud eu gorau i sgwrsio ar waetha'r miwsig swnllyd. Roedd y calonnau wedi gweithio i'r dim – ac roedd Tomos newydd orffen hongian y set nesaf ar y goeden.

'Be ti'n wneud nawr?' meddai llais yn ei glust.

Yn ei ymyl safai Zak Watkins yn ei wylio'n syn.

'Mae pawb yn mynd i newid partner yn y funud,' eglurodd Tomos. 'Bydd yr Eidalwyr yn cymryd calon, yn tynnu enw allan ac yn dawnsio gyda'r person hwnnw.'

Snwffiodd Zak yn uchel. 'Lot o ddwli!' meddai.

Gwenodd Tomos – ond roedd ei galon go iawn yn curo fel drwm. Roedd y bar aur yn y bin wrth ei draed a'r cloc mawr ar wal y neuadd yn dangos saith munud i wyth. 'Rhoi'r bar yn y bin erbyn wyth' – dyna gyfarwyddiadau'r Galon Ddu. Mewn ychydig funudau bydden nhw'n dod i'w gasglu ac roedd Tomos yn dechrau teimlo'n nerfus. Gwibiai ei lygaid o gwmpas y stafell, a phan gydiodd y DJ yn y meicroffon fe neidiodd mewn sioc.

'A-a-a-a-a-a phawb i newid partner!' bloeddiodd y DJ. 'A wnaiff yr ymwelwyr o'r Eidal gasglu calon arall oddi wrth Tomos, os gwelwch chi'n dda? *Uno . . . due . . . TRE!* Ac i ffwrdd â chi.' Pwniodd y DJ yr awyr a dyma Enrico'n ailadrodd yn Eidaleg ac yn sgubo'r Eidalwyr ifanc tuag at y goeden galonnau.

Mewn chwinc roedd twr o wynebau llon yn rhuthro am Tomos.

'Helpa i di nawr!' meddai Zak gan gydio'n dynn yn y goeden rhag ofn iddi gwympo.

Am hwyl! Agorodd yr Eidalwyr y calonnau a thrio ynganu'r enwau y tu mewn.

'*Cherries!*' galwodd bachgen tal mewn crys pêl-droed Juventus.

Giglodd Cerys Smith a chamu tuag ato.

'*Lindyr!*' galwodd un o'r merched ac edrych o'i chwmpas.

Doedd neb yn symud. Sbeciodd Tomos dros ysgwydd yr Eidales a gweiddi: 'Glyndwr!'

Camodd Glyndwr Evans 'mlaen gan chwerthin.

Gyda gwên ar eu hwynebau brysiodd Mrs Jenkins a Diana draw i helpu'r Eidalwyr. Erbyn wyth o'r gloch roedd pawb wedi cael partner a'r DJ yn gafael yn y meicroffon.

'Ocê! Pawb yn barod? Ydych chi i gyd yn gwybod enwau'ch partneriaid?'

'Ydyn!' bloeddiodd côr o leisiau.

'Iawn! *Shake it away* gyda-a-a- . . .!'

Ia-a-a-a-a! Sgrechiodd y miwsig i stop mor sydyn â'r DJ.

'Aaaaa!' ochneidiodd pawb.

Roedd y golau yn y neuadd wedi diffodd!

O'r tywyllwch gwaeddodd Mrs Jenkins yn Gymraeg ac Eidaleg: 'Arhoswch funud fach i ni gael gweld be sy o'i le. Neb i symud. NEB I SYMUD.'

Daliodd Tomos ei anadl. Yn ei ymyl roedd rhywun *yn* symud. Roedd sŵn siffrwd yn dod o'r bin sbwriel a chysgod du'n plygu drosto. Mewn chwinc roedd Tomos wedi gafael yn y lleidr ond dyma benelin galed yn ei daro yn ei ysgwydd. Baglodd yn ei ôl a disgyn gyda chlec ar y llawr. Cyn iddo gael ei wynt yn ôl, roedd y goeden wedi cwympo ar ei ben.

Wrth i Tomos wthio'r goeden i'r naill ochr, ffrydiodd y golau'n ôl i'r neuadd unwaith eto.

'HWRÊ!' gwaeddodd pawb.

Pawb ond Tomos. Roedd Tomos yn syllu mewn braw ar y bin sbwriel yn rholio dros y llawr. Roedd y bar aur wedi diflannu! Ond ble oedd Bob Elis? Oedd Y Galon Ddu wedi dianc wedi'r cyfan?

Doedd bosib! Anelodd Tomos am y drws, ond roedd Zak Watkins yn dod i mewn o'r cyntedd. Cyn i Tomos fedru ymwthio heibio, dyma law yn gafael yn ei fraich a'i dal yn dynn.

'Hei, Tomos,' meddai llais llon Carlo yn ei glust. 'Dwyt ti ddim yn dianc, wyt ti? Dere di'n ôl nawr. Dwyt ti ddim wedi dawnsio eto.'

'Dawnsio?' gwichiodd Tomos gan strancio'n wyllt.

'Ie, dawnsio,' galwodd Mali'n llon. Aeth Mali i godi'r goeden galonnau ac yna dod i gydio ym mraich arall ei brawd.

'Gadewch fi'n rhydd!' gwaeddodd Tomos mewn panig.

Ar y llwyfan roedd y DJ yn ysgwyd i rythm un o ganeuon Pheena. Winciodd yn ddireidus ar Tomos a gafael yn y meicroffon.

'Foneddigion a boneddigesau!' meddai. *'Signore! Signori!* Pwy sy'n meddwl y dylai Tomos gael cyfle i ddawnsio ar ôl gweithio mor galed?'

'Dwi ddim eisiau!' llefodd Tomos.

Ond roedd pawb yn y neuadd yn chwerthin a churo dwylo.

'Iawn! Mae pawb eisiau i ti ddawnsio, Tomos. Cymera galon oddi ar y goeden,' meddai'r DJ.

Gwasgodd Tomos ei ddannedd yn dynn. Roedd un galon goch yn hongian ar ganol y goeden.

'Dere, Twmi!' meddai Mali gan lusgo'i brawd tuag ati.

'Paid â bod yn ddwl!' hisiodd Tomos drwy'i ddannedd. 'Dwi'n gorfod mynd. Wir i ti! Mae'n bwysig!'

Ond doedd Mali'n gwrando dim. Plyciodd y

galon o'r goeden a thynnu darn o bapur allan ohoni.

'Nawr darllen enw dy bartner,' meddai gan ddal y papur o dan ei drwyn.

Edrychodd Tomos ar yr enw a bu bron iawn i'w lygaid neidio o'i ben.

'B . . . Babs Cadabra!' crawciodd. 'Ond . . .'

Ar hynny dyma lais yn galw:

'Haia, Tab Tec!'

Trodd Tomos fel top. Roedd merch yn sefyll yn nrws y neuadd. Merch gyda gwallt coch pigog a gwên ddireidus.

'Babs!' llefodd mewn syndod. 'Babs Cadabra!'

Y funud honno anghofiodd Tomos ei fod e'n casáu dawnsio.

Anghofiodd ei fod e'n casáu Dydd Sant Ffolant.

Anghofiodd pa mor aml oedd Babs yn mynd ar ei nerfau.

Gyda gwên enfawr, ENFAWR, gwaeddodd *'Buona sera, signorina!'* a chan estyn ei law dyma fe'n chwyrlïo Babs ar draws y stafell.

Am deimlad ardderchog! Roedd popeth yn iawn wedi'r cyfan. Os oedd Babs yn ddiogel, roedd hynny'n golygu bod TAB a'r Cadabras wedi trechu giang Y Galon Ddu!

'Giang Y Galon Ddu!'

Yn hwyrach y noson honno, yn Tŷ Mawr, roedd Mam, Dad, Mali, Carlo a Nain yn syllu ar Tomos, eu llygaid fel soseri a'u cegau ar agor fel ogofâu mawr.

'Giang Y Galon Ddu!' gwichiodd Mali eto.

Trodd y pump ohonyn nhw a syllu ar Babs.

'I feddwl dy fod ti wedi cael dy gipio a ninnau'n gwybod dim byd!' meddai Mam yn grynedig.

'Fedren ni ddim dweud wrthoch chi,' meddai Morgan Cadabra.

'Na, ond mi gaiff Tomos ddweud yr holl hanes wrthoch chi rŵan,' meddai Marged gan wenu'n gariadus ar Tomos.

Dyna braf oedd gweld Morgan a Marged yn gwenu eto, meddyliodd Tomos. Ac Ab hefyd.

'Tro Babs yw hi gynta. Fe gaiff hi ddweud wrthoch chi sut cafodd hi ei chipio,' meddai Tomos.

'Wel,' meddai Babs gan besychu'n bwysig. 'Fel hyn digwyddodd hi. Roedden ni newydd gyrraedd adre o Gaerdydd neithiwr ac roedd pawb yn tynnu'u bagiau o'r car, pan glywais i gath fach yn mewian yn druenus rownd cornel y tŷ. Es i edrych amdani a – IAAAAW! – cyn i fi wybod beth oedd yn digwydd, roedd dyn mewn balaclafa du wedi gafael yndda i ac wedi 'nhaflu i i gefn car Nina. Roedd merch yn y car – roedd hithe hefyd yn gwisgo balaclafa du – a phan laniais i yn y sedd gefn, dyma hi'n trio gyrru i ffwrdd. Yn anffodus iddi hi, roedd yr injan yn oer. Pallodd y car ddechrau ac fe waeddodd y ferch enw'r dyn a dweud: 'Dyw'r car ddim . . .!" Yna'n sydyn fe daniodd yr injan a chlywais i ddim rhagor, ond fe glywais i ddigon i 'nabod ei llais hi – llais Diana o'r Siop Flodau. Roedd y dyn â'i law dros fy ngheg i, felly allwn i ddim gweiddi na dianc, ond tra oedd e'n edrych dros ei ysgwydd ar tŷ ni i weld a oedd rhywun yn dilyn, fe lwyddais i godi cerdyn oddi ar sedd y car, sgriblan neges a'i gwthio drwy dop y ffenest wrth i'r car fynd i lawr y lôn. A dyma hi'r neges!'

Cododd Babs y cerdyn â'r galon ddu arno oddi ar y ford a'i ddangos.

'Y?' meddai Mam, Dad, Nain, Mali a Carlo gan syllu'n syn ar y ddau sgribl ar y cerdyn.

'Ond sut . . .?' meddai Dad.

'Sut deallodd Tomos y neges?' meddai Babs. 'Am ei fod e'n dditectif, wrth gwrs. Dwed wrthyn nhw, Tomos.'

'Wel,' cyfaddefodd Tomos. 'Wnes i ddim deall y neges o'r cychwyn cyntaf. Roedd y giang oedd wedi cipio Babs yn galw'u hunain *Il Cuore Nero,* sef 'Y Galon Ddu' yn Eidaleg. Yn naturiol ro'n i'n drwgdybio'r Eidalwyr oedd wedi dod draw i Benderi. A phan es i i helpu Mali i osod y goeden yn y prynhawn, digwyddodd rhywbeth rhyfedd iawn. Fe gwympodd y goeden, a phan aethon ni i'w chodi roedd calon ddu'n gorwedd ar y llawr. Y tu mewn i'r galon roedd fy enw i. Pwy oedd wedi'i gadael hi yno, tybed?'

Edrychodd Tomos ar ei chwaer a gwenodd yn garedig arni.

'Nawr pan gwympodd y goeden, fe udodd Labrador Mrs Jenkins, ac ar un pryd fe glywais i lais merch yn gweiddi rhywbeth fel hyn: "... *e Nero!*"'

'Gweiddi enw'r Galon Ddu?' gofynnodd Nain.

'Wel, dyna beth o'n i'n feddwl hefyd,' meddai Tomos. 'Ond dyfalwch pwy oedd yn gweiddi.'

'Pwy?'

'Mali!' meddai Tomos.

'O na!' protestiodd Nain. 'Dydy Mali fach ddim yn aelod o giang Y Galon Ddu, siŵr iawn!'

'Rydych chi'n iawn, Nain,' meddai Tomos. 'Dyw hi ddim. Ond am sbel fe feddyliais i bod gyda hi ryw gysylltiad â'r giang – nes i fi ddarganfod enw ci Mrs Jenkins.' Winciodd Tomos ar ei chwaer a oedd yn chwerthin erbyn hyn. 'Nero yw enw'r ci. Felly nid gweiddi *Il Cuore Nero* oedd Mali, ond gweiddi ar Nero'r ci!'

'Gwaeddais i, "Gwylia dy bawenne, Nero!"' chwarddodd Mali, 'ond dim ond y darn ola glywaist ti. Peidiwch â phoeni, Nain. Dwi ddim yn ddihiryn.'

'Dim ond niwsans,' meddai Tomos o dan ei wynt gyda gwên fach slei.

Chwyrnodd Mali ar ei brawd.

'Dos yn dy flaen, Tomos bach,' meddai Nain gan chwerthin.

'Wel,' meddai Tomos. 'Am gyd-ddigwyddiad! Nero oedd enw'r ci ac *Il Cuore Nero* oedd enw'r giang. Cyd-ddigwyddiad llwyr. A dechreuais i feddwl tybed a oedd yna gyd-ddigwyddiad arall. Roedd Morgan a Marged newydd fod yn yr Eidal ac roedd criw o'r Eidal newydd ddod draw i Benderi. Oedd rhai o'r Eidalwyr yn ddihirod, neu a oedd rhywun yn defnyddio'r cyd-ddigwyddiad i'n twyllo ni? Doedd dim amdani ond dechrau o'r dechrau ac amau pawb. Nawr, roedd rhywun wedi gadael calon ddu o dan y goeden yn y neuadd. Rhywun oedd eisiau rhoi'r bai ar yr Eidalwyr, falle. Ond pwy? Pwy oedd wedi dyfalu y byddwn i yn y neuadd y prynhawn hwnnw? Pwy oedd yn gwybod am y goeden galonnau i ddechrau?'

'Fi a Mali a Mam,' meddai Carlo.

'A phwy arall?' gofynnodd Tomos.

Cododd Carlo ei ysgwyddau. 'O, Diana!' meddai'n sydyn. 'Hi roddodd y *polystyrene* i fi.'

'Yn hollol,' meddai Tomos gan edrych ar Morgan a Marged ac Ab. 'A phan ddes i draw i ddweud wrthoch chi am y galon ddu ar lawr y neuadd, fe ofynnodd Bob Elis gwestiwn i fi. Ydych chi'n cofio beth oedd y cwestiwn?'

Ysgydwodd y tri eu pennau.

'Gofynnodd e, "Pa mor agos oeddet ti at y goeden?"'

'A!' Cliciodd Ab ei fysedd.

'Nawr doeddwn i ddim wedi sôn am goeden bryd hynny,' meddai Tomos. 'Ond roedd Bob Elis yn gwybod amdani. Ac wedyn fe gofiais i am yr ail gliw roddodd Babs i fi.' Tynnodd y ddol fach o'i boced. 'Roedd Babs wedi cael tair dol o'r Eidal, ond hon oedd yr un daflodd hi drwy ffenest y car. Oedd 'na reswm dros hynny, tybed?'

'Oedd,' meddai Babs. 'Fe ddewisais i'r ddol achos mae hi'n gwisgo iwnifform y milwyr sy'n gwarchod y Fatican. Mae plismyn yn gwisgo iwnifform, ac yn gwarchod hefyd, ac ro'n i eisiau dweud wrthoch chi mai plismon oedd un o'r cipwyr. "Bob" oedd yr enw waeddodd Diana'n y car, chi'n gweld. Ro'n i'n gwybod mai Bob Elis oedd e, achos mae'r ddau'n canlyn ers misoedd.'

'Wedyn fe es i i ailedrych ar gliw cyntaf Babs,'

meddai Tomos, 'sef y cerdyn â'r galon ddu arno. Edrychwch ar y sgribls eto. Beth maen nhw'n olygu i chi?'

'Rhifau 1 a 2 falle?' meddai Mam gan grychu'i thalcen.

'Mae'r 2 yn edrych yn debycach i Z,' meddai Mali.

'Ydy,' meddai Tomos. 'Ac o achos hynny bues i'n amau Zak Watkins am dipyn. Ond doedd Zak yn gwybod dim am y goeden galonnau, achos fe fuodd e'n grwgnach amdani. Felly go brin y byddai e wedi meddwl am wneud calon ddu a rhoi fy enw i ynddi.'

Dangosodd Tomos y cerdyn eto.

'Oes gen ti syniad, Dad?' gofynnodd.

Ysgydwodd Dad ei ben.

'Anghywir!' meddai Tomos. 'Oes, mae gen ti syniad, achos ti roddodd y cliw i fi. Dest ti mewn i'm stafell i, gwelaist ti lun y cerdyn ar y ddesg a dwedaist ti, 'Beth yw hwn 'te? Blodyn?' Nawr, wnes i ddim deall ar unwaith. Ro'n i'n meddwl dy fod ti'n fy ngalw i'n blodyn ac yn dweud, "Beth yw hwn 'te, blodyn?" Ond dwyt ti byth yn fy ngalw i'n blodyn, wyt ti?'

'Byth,' gwenodd Dad.

'Ac roeddet ti'n iawn,' meddai Tomos. 'Llun blodyn oedd ar y cerdyn. Nid llythyren l na rhif 1 yw'r llinell syth, ond coes blodyn.'

'Dim ond eiliad neu ddwy oedd gen i i sgrifennu'r neges,' meddai Babs. 'Y cyfan fedrwn i wneud oedd troi'r galon yn flodyn ac wedyn . . .'

'Ac wedyn trio dechrau sgrifennu enw person,' meddai Tomos gan ddangos y cerdyn eto.

'Ond y rhif 2 yw hwnna!' meddai Mali'n syn.

'O!' Lledodd gwên ddeallus dros ei hwyneb. 'Nid dau ond *Di,* sef enw Diana – Diana o'r Siop Flodau.'

'Roedd hi a'i chariad Bob Elis wedi bod yn cynllwynio i ddwyn y bar aur ers tro,' meddai Morgan Cadabra'n llym. 'Gan ein bod ni newydd ddod yn ôl o'r Eidal, mi benderfynon nhw esgus mai giang o'r Eidal oedden nhw a thrio rhoi'r bai ar yr Eidalwyr oedd wedi dod i Benderi.'

'Roedden nhw'n mynd i redeg i ffwrdd gyda'i gilydd ar ôl cael eu dwylo ar yr aur,' meddai Marged. 'Ond drwy lwc fe lwyddodd Tomos i'w stopio nhw.'

'Unwaith y sylweddolais i fod Bob Elis yn un o'r giang, ro'n i'n gwybod ei fod e am ddwyn y bar aur CYN iddo adael Tŷ Mawr,' meddai Tomos. 'Roedd Marged wedi cael galwad ffôn – oddi wrth Diana, mae'n rhaid – yn dweud wrthi am lapio'r bar aur mewn papur brown. Pam? Achos cyn gynted ag y byddai Morgan a Marged wedi nôl y bar o'i guddfan a'i lapio mewn papur brown, byddai Bob wedi mynd ag e a rhoi parsel arall tebyg yn ei le. Wedyn byddai e a Diana wedi dianc ymhell cyn y ddawns.'

'Ond fe ddaeth Tomos i Tŷ Mawr a mynnu cael y bar aur cyn i Bob gael cyfle i wneud hynny,' meddai Ab. 'Wedyn, fe awgrymodd ein bod ni'n ffonio Uwch-Arolygydd yr heddlu'n slei bach heb i Bob wybod. Doedd yr Uwch-Arolygydd ddim yn gwybod fod Babs wedi cael ei chipio. Roedd hynny'n profi fod Bob yn dweud celwydd.'

'Felly doedd gan Bob a Diana ddim dewis ond mynd i'r ddawns os oedden nhw am ddwyn y bar aur,' meddai Tomos. 'Pan adawodd Bob Tŷ Mawr, roedd dau dditectif yn ei ddilyn, ac roedden nhw'n dal i gadw llygad arno pan ddiffoddodd e oleuadau'r neuadd. Roedd dau dditectif arall – sef ffrind y DJ ac un o wragedd y gegin – yn gwylio Diana, a chyn gynted ag y cipiodd hi'r bar aur o'r bin fe gafodd hi a Bob eu harestio.'

'Ymhell cyn hynny roedd yr heddlu wedi dod draw i archwilio'r Siop Flodau,' meddai Babs. 'Ro'n i'n garcharor yn y stafell gefn, ond ro'n i wedi cael digon o fwyd a heb gael dim niwed, felly ar ôl mynd adre i newid, gyda chaniatâd Mam a Dad, fe ddes i i'r ddawns.'

'Wel, fedren ni ddim gwrthod caniatâd i ti,' meddai Marged a'i llygaid yn pefrio. 'Wedi'r cyfan, roedd angen partner ar Tomos, on'd oedd?'

Chwarddodd pawb yn llon, gan gynnwys Tomos ei hun.

Do, fe chwarddodd Tomos, chwerthin a chwerthin nes i rywbeth ofnadwy ddigwydd. Taflodd Babs ei breichiau amdano. Gweiddi 'Diolch, Tab Tec!' – a phlannu sws MAWR, SLOPI ar ei foch.

'IYYYYYYCH!'

Pennod 11

Union bythefnos yn ddiweddarach roedd Nain, Mam, Dad, Tomos a Locsyn yn eistedd o flaen y teledu a'u hwynebau'n disgleirio. Am bron awr roedden nhw wedi bod yn gwylio sioe arbennig IAWN ar S4C. Nawr roedd y sioe'n cyrraedd ei huchafbwynt.

Ar y sgrin roedd dewin tal, main mewn clogyn du yn brwsio'r llawr a'i wraig, y ddewines walltgoch, yn dangos crochan gwag i'r camera. Cododd y dyn ddyrnaid o lwch o'r llawr a'i daflu i'r crochan ac yna:

PWFF!

Cododd cwmwl o fwg, ffrwydrodd y crochan – ac yno'n gorwedd ar y ford wydr ynghanol y sgrin roedd bar o aur pur.

'Waaaaw!' meddai Nain a churo'i dwylo.

Ond eiliad yn ddiweddarach roedd hi'n gweiddi'n uwch fyth.

Roedd Morgan a Marged Cadabra wedi troi at y camera ac wedi dweud, 'Rydyn ni'n cyflwyno'r tric hwn . . .'

'. . . i Tomos Aled Beynon o Benderi . . .'

'. . . a'i ffrind Locsyn Lewis!'

'Oni bai amdanyn nhw fyddai gyda ni ddim bar aur!'

'Iap Iap Iap!' cyfarthodd Locsyn gan neidio ar ei draed.

Gwenodd Tomos a chodi'i fawd arno.

Nid Dad oedd yr unig un oedd wedi ei helpu i ddatrys Dirgelwch y Galon Ddu. Roedd Locsyn wedi helpu hefyd.

Roedd Locsyn wedi tisian.

Llwch blodau oedd yn gwneud i Locsyn disian.

Dyna pam oedd Locsyn yn tisian bob tro roedd e'n mynd yn agos at Bob Elis. Roedd e'n gallu arogli blodau arno – blodau o siop Diana.

'Da iawn ti, Locsyn!' canmolodd Mam, Dad a Nain.

Roedd Locsyn mor falch fe ysgydwodd ei gynffon nes bod y pot o gennin Pedr ar fwrdd coffi Mam yn hedfan drwy'r awyr.

'AAAA!' Gwthiodd pawb eu bysedd i'w clustiau wrth i gorwynt ffrwydro drwy'r stafell.

'*SHTISH!*'